D0119613

140

Rabat

2520-B3T-33

Les Éditions du Boréal
4447, rue Saint-Denis
Montréal (Québec) H2J 2L2
www.editionsboreal.qc.ca

DANS LA FOUDRE
ET LA LUMIÈRE

ŒUVRES DE MARIE-CLAIRE BLAIS

ROMANS

La Belle Bête, Boréal, coll. « Boréal compact », 1991.

Tête blanche, Boréal, coll. « Boréal compact », 1991.

Le jour est noir suivi de *L'Insoumise,* Boréal, coll. « Boréal compact », 1990.

Une saison dans la vie d'Emmanuel, Boréal, coll. « Boréal compact », 1991.

David Sterne, Boréal, coll. « Boréal compact », 1999.

Manuscrits de Pauline Archange, Boréal, coll. « Boréal compact », 1991.

Vivre! Vivre!, tome II des *Manuscrits de Pauline Archange,* Boréal, coll. « Boréal compact », 1991.

Les Apparences, tome III des *Manuscrits de Pauline Archange,* Éditions du Jour, 1970 ; Boréal, coll. « Boréal compact », 1991.

Le Loup, Boréal, coll. « Boréal compact », 1990.

Un Joualonais sa Joualonie, Boréal, coll. « Boréal compact », 1999.

Une liaison parisienne, Boréal, coll. « Boréal compact », 1991.

Les Nuits de l'Underground, Boréal, coll. « Boréal compact », 1990.

Le Sourd dans la ville, Boréal, coll. « Boréal compact », 1996.

Visions d'Anna, Boréal, coll. « Boréal compact », 1990.

Pierre – La Guerre du printemps 81, Boréal, coll. « Boréal compact », 1991.

L'Ange de la solitude, VLB éditeur, 1989.

Soifs, Boréal, 1995 ; coll. « Boréal compact », 1996.

TEXTES RADIOPHONIQUES

Textes radiophoniques, Boréal, coll. « Boréal compact », 1999.

THÉÂTRE

Théâtre, Boréal, coll. « Boréal compact », 1998.

RÉCITS

Parcours d'un écrivain, notes américaines, VLB éditeur, 1993.

L'Exilé, nouvelles, suivi de *Les Voyageurs sacrés,* BQ, 1992.

POÉSIE

Œuvre poétique, 1957-1996, Boréal, coll. « Boréal compact », 1997.

Marie-Claire Blais

DANS LA FOUDRE
ET LA LUMIÈRE

roman

Deuxième volet de la trilogie *Soifs*

Boréal

Les Éditions du Boréal remercient le Conseil des Arts du Canada
ainsi que le ministère du Patrimoine canadien et la SODEC
pour leur soutien financier.

Les Éditions du Boréal bénéficient également du Programme
de crédit d'impôt pour l'édition de livres du gouvernement du Québec.

Diffusion au Canada : Dimedia

Données de catalogage avant publication (Canada)

   Blais, Marie-Claire, 1939-

   Dans la foudre et la lumière

   Suite de : Soifs.

   ISBN 2-7646-0109-3

   I. Titre.

PS8503.L33D29   2001   C843'.54   C2001-940330-5

PS9503.L33D29   2001

PQ3919.2.B52D29   2001

À Michèle et à Julie Mailhot

Ce livre a été écrit grâce à une bourse pour Artistes professionnels du Conseil des Arts et des Lettres du Québec que je remercie vivement pour cette participation.

Remerciements à Marisa Zavalloni, pour son appui constant pendant l'écriture de ce livre, remerciements chaleureux aussi à Art Kara, à Bhante Wimala, à Bill T. Jones dont les propos ont inspiré l'auteur.

M.-C. B.

Source des larmes et du cri, de quelles parures vives nous léguas-tu la charge et l'honneur. L'angoisse et l'amour, le deuil et la joie se célèbrent à fêtes égales, en pleine face gravées, comme des paysages profonds.

ANNE HÉBERT, *Ève.*

Polly frôlait de sa tête les pieds de Carlos, la plante rose des pieds de Carlos, bondissant de la sandale de caoutchouc, qui était son refuge contre le danger, Carlos battait l'air, le sable des plages gorgées d'eau et de sel, la poussière des rues, de la robustesse de son corps, de la vélocité de ses pas, que d'insolites clameurs, de chahut, de grondements de tonnerre autour de Polly, de Carlos, pendant qu'ils couraient ensemble, l'inéluctable destin, la flèche attachée à la vie de chaque bête, était suspendue, prête à frapper, Polly connaissait la cruauté de cet inéluctable destin qui se déchaînait sur les bêtes, rue Bahama, rue Esmeralda, sa foi en la vie était instinctive, elle montrait fièrement à Carlos ses crocs, ses dents gourmandes, sa langue dont elle léchait la face inférieure des pieds de Carlos, Carlos, son refuge, son antre, et lui levait vers le ciel son visage colérique, Polly, je l'aurai un jour, ce Lazaro, criait-il, dois-tu donc toujours me suivre partout, Polly, et Polly voyait les larges mains de Carlos hier si caressantes et souples se refermer en des poings agressifs, où allaient-ils, où couraient-ils sous ce soleil cuisant, la montre de Lazaro, murmurait Carlos, il veut que je lui rende sa montre, ce Lazaro, l'Égyptien, le musulman immigré rue Bahama, toujours comblé de cadeaux que lui envoie sa mère du Caire, une bicyclette, une montre électronique, cette amulette de Toutankhamon qu'il porte autour du cou, la montre Adidas, tous les soirs, il m'attend, me la réclame, Polly entendait l'amère rengaine que sifflait Carlos entre ses dents, s'il continue de m'attendre tous les soirs, Polly, je le menacerai, je lui ferai peur avec ces fusils des Cubains qui ne contiennent aucune balle, l'Égyptien Lazaro, là où je vais, Polly, tu ne dois pas me suivre, où couraient-ils ainsi dans la lourde chaleur précédant l'orage, la tempête, ne serait-ce pas l'heure de s'attaquer aux vagues, ce rêve de l'eau bourdonnait aux tempes en sueur de Polly qui entendait japper les chiens au loin, Polly qui haletait derrière Carlos, contre la plante rose de ses pieds, Carlos, son refuge, son antre contre le danger, l'anéantissement, car un incident, une barbarie pouvaient vite survenir rue Bahama, rue Esmeralda, entre deux bandes rivales, Carlos, Lazaro l'Égyptien, eux hier inséparables, Carlos, Lazaro, et Vénus retenait par sa laisse jaune son iguane, qui fixait l'océan d'un regard enfiévré par l'air chaud, non, pensait Vénus, son mari, le capitaine Williams, ne rentrerait pas ce soir, le vaste lit aux coussins de soie serait vide de ses concupiscences, des débridements d'un amour tardif souvent hanté par la pensée de la mort, l'iguane vert, l'affectueux teckel, désormais sans maître, accompagnaient partout Vénus lorsqu'elle déambulait seule dans la maison en bois de cèdre, ouvrant les armoires où reposaient alignés sur des tablettes ces objets chers au capitaine Williams dont Vénus ne troublait pas le silence, ses diverses collections de casquettes de marin, ses pipes aux formes exotiques d'où s'exhalait pour Vénus l'arôme contaminé d'îles déchues par le passage de l'homme blanc, elle longeait les couloirs de la maison, les murs couverts de tableaux lascifs, œuvres du capitaine, le peintre, le musicien aventurier qui avait parfois demandé à Vénus de poser pour lui, dans une obscénité franche dont ils avaient ri tous les deux, libérée des sermons du pasteur Jérémy, Vénus continuait pourtant d'entendre la voix forte de son père clamant partout qu'il ne franchirait jamais le seuil de la maison de Vénus où se consommaient les noces d'une fille, escorte au Club mixte dès l'âge de quinze ans, et d'un sexagénaire de quarante ans son aîné, faux capitaine à la réputation douteuse, il planait sur son décès en mer quelque ombre suspecte, Mama n'était pas sûre de pardonner à Vénus toutes ses erreurs, n'avait-elle pas assez de soucis avec Carlos, la guerre des gangs, rue Bahama, rue Esmeralda ; depuis l'arrivée de ce Lazaro, l'Égyptien, il ne cessait plus de se battre, Carlos, son enfant, dans une organisation de malfaiteurs, Vénus posait, couronne écailleuse, l'iguane vert sur le sommet de sa tête, elle disait en riant au reptile qui étendait sur son front ses lentes pattes, ici, aucun prédateur ne peut venir te happer par la queue, bien qu'elle entendît encore vibrer à ses oreilles la voix du pasteur Jérémy et ses échos, jadis, au temple de la Cité du corail, si le serpent était le démon tentateur des Écritures dont parlait son père dans ses sermons, pourquoi le capitaine Williams, cet homme que Vénus avait choisi parmi d'autres au Club mixte, n'eût-il pas été, dans cette jungle où elle domptait les serpents, les iguanes, ce serpent qu'elle avait charmé des mélodies de sa voix, qu'elle avait séduit, disait le pasteur, car il y avait longtemps que Vénus séduisait les hommes, le capitaine n'était pas un tendre mais un coriace, pensait Vénus, mais que pouvait donc comprendre un père dévot à un homme libertin déployant sur une fille noire l'ardeur de son amour comme le fouillis de ses richesses, une maison en bois de cèdre d'où Vénus craignait de ne plus pouvoir s'enfuir et que surveillait Richard, le régisseur du domaine, cette maison et ses œuvres d'art, toutes épaves licencieuses des haltes du capitaine dans chaque port des îles, pourquoi cet homme doté de quelques principes de bonté, pensait Vénus, devait-il finir comme tous les autres hommes, comme l'un de ces capitaines dont un dernier équipage ramenait un matin la dépouille, sous le flottement d'un drapeau noir, dans son bateau, vers les eaux tièdes du canal que bordaient les lianes arborescentes, les herbes, les fougères, royaume des iguanes et des couleuvres aquatiques, Mama, ses huit enfants, ne vivaient-ils pas entassés dans une seule pièce, quand Vénus eût aimé les loger tous dans sa villa, mais jamais, avait répété le pasteur Jérémy, nous n'allons franchir le seuil de cette maison de Vénus, longtemps solitaire, Vénus avait guetté le retour d'un fantôme dont elle entendait encore les éclats de voix, le capitaine ne surgirait-il pas de la brume des mangroves, tels ces marins ivrognes fournisseurs de drogues, s'approchant des rives dans leurs barques prêtes à chavirer, il y aurait bientôt à la résidence du capitaine, sur ses terres que dévorait l'eau, une fête de charité, un bazar, pensait Vénus, au profit des enfants qui partaient pour l'école, rue Bahama, sans déjeuner ni collation, on ne les avait pas encore immunisés contre la variole, la méningite, on ne leur avait administré aucun vaccin, les notables de la ville seraient les hôtes de Vénus, eux qui l'avaient méprisée quand elle chantait au côté de l'oncle Cornélius, dans les tavernes, les cabarets miteux, Vénus était la femme d'un héros qui, disait-il, elle savait qu'il ne mentait pas, n'eût pas hésité à tuer un dangereux rival pour défendre son honneur, et qui sait si ce n'est pas ainsi que son mari avait perdu la vie, peut-être avait-il tué pour elle ou avait-il subi le coup d'une main assassine, il avait péri noyé dans le gonflement des eaux, par une nuit d'orage, tous ils avaient été jaloux de leur bonheur, de leur verdoyant paradis où venaient manger les oiseaux dans la main de Vénus, ses passereaux, ses colibris, à qui elle offrait un fruit pulpeux, melon à la chair rosâtre dont les jus sucrés se répandaient entre ses doigts, mais il fallait repousser cette image, l'honneur de Vénus sauvé par un crime au milieu de l'océan, non, disait Vénus à l'iguane vert qui grimpait sur ses cheveux, au teckel humant les parfums sauvages de ses chevilles tatouées, non, ici, aucun prédateur ne pourra venir, le teckel, enjoué soudain, sautait sur les pieds de Vénus, tendant l'oreille au cliquetis des ornements à ses chevilles, pendant qu'elle marchait vers la plage, le bateau du capitaine accosté dans les vagues nerveuses, avant la pluie, l'iguane qui avait semblé endormi dans les cheveux de Vénus, sur sa tête, ouvrait de larges yeux globuleux, regardait tout autour de lui, les plis d'une ancienne appréhension dans son regard qui errait, sous le cuir de la peau rugueuse des paupières, retenu par sa laisse jaune, l'iguane écoutait cette ricaneuse voix de Vénus lui disant, aucun prédateur ne peut venir, cette voix résonnait en son cœur, sous la cuirasse, comme l'appel de la liberté au cœur du prisonnier, l'iguane captif entendait les bruissements de l'eau, des insectes, des marécages où s'enchevêtraient les roseaux, les plantes grimpantes, lointain ce temps où l'iguane ne rampait pas sur ses pattes courtes vers le monde des hommes où, sur les plages, il avait été apprivoisé, décorant les pierres de leurs jardins, les abords des piscines, ici, aucun prédateur ne pourra venir, disait Vénus, le lézard, l'iguane, le crocodile vivaient seuls dans les broussailles épaisses des savanes, des forêts, dans les herbes géantes des brousses chaudes, humides. Le car filait à une vitesse effrénée, s'enfonçait dans les régions alpines des Pyrénées, quand Mère avait dit à Mélanie, Mélanie qui avait alors l'âge des communiantes, encombrée comme elles pour le voyage d'une robe blanche au jupon bouffant, ne te retourne pas, Mélanie, ne te retourne pas, vers ce cortège au bord de l'autoroute, l'une d'elles a été heurtée, papillon diurne aux fines écailles, le car l'a happée au passage, n'était-ce pas à cause de cette robe, du jupon bouffant, de cette blanche armure dont les mères habillaient leurs filles pour la messe eucharistique, que la petite fille, ce jour-là, avait été tuée, avait pensé Mélanie plus tard, la négligence d'un chauffeur ivre, quelque calamité conçue par le Ciel avait été commise par un radieux après-midi parmi les gouffres de ces montagnes neigeuses, parmi les glaciers, voici un blanc papillon pris au piège de la joie, avait dit Mère à Mélanie, car ces enfants chantaient un instant plus tôt, fredonnaient, le soleil n'allait-il pas pâlir, les montagnes trembler d'effroi, Mélanie n'avait entendu autour d'elle que le silence des glaciers, poursuivant sa folle ascension, le car disparaissait dans la spirale des routes de montagne, vite, le groupe des communiantes s'était dispersé, leur chaîne d'une brillante blancheur se cassant sur l'autoroute, ne te retourne pas, Mélanie, avait dit Mère, nous n'y pouvons rien, c'est un crime, Mélanie avait prononcé ces mots, un crime, maman, que faire, une fillette glissait sur un sentier de glace, le jour de sa première communion, c'était cet enroulement fatal d'un ruban, d'une dentelle de jupon bouffant à la roue d'un car, que la douleur de cette vision fût évitée à Mélanie, mais bien des années plus tard la douleur était encore violente, Mélanie pensait à son fils dont elle serait bientôt séparée, encore une heure de réflexion, avant le départ de Samuel pour New York, ce jour-là, dans les Pyrénées, il y avait eu un crime, et bientôt Samuel partirait, Samuel qui ne savait pas que sa mère l'observait, perchée à la terrasse d'un hôtel d'architecture mauresque d'où l'on voyait la ville, les blocs roses de ses maisons au-dessus de la mer, Samuel connaissait la sobriété de sa mère qui ne buvait souvent que de l'eau, il n'eût pas aimé la savoir si proche de lui, pensait Mélanie, sur une terrasse, sobre parmi ces vacanciers mous, dégingandés, saturés de cocktails, le scrutant, lui qui détestait qu'on le regarde, Mélanie pensait à sa mère lui recommandant de ne pas se retourner, car dans une heure Samuel irait vers sa voiture, une folie, cette voiture décapotable pour ses dix-sept ans, Daniel, Mélanie, ne changeraient donc jamais, Mère disait aussi, à dix-sept ans, ils partent, Samuel doit poursuivre sa formation de danseur, il serait pourtant préférable qu'il prépare son entrée dans une université prestigieuse, mais ce problème, la dyslexie, pourrait bien nuire à ses études, les allusions de Mère avaient évoqué pour Mélanie la pression des montagnes, des glaciers, dans les Pyrénées ; de la haute terrasse, Mélanie entrevoyait tous les mouvements de Samuel, pourquoi se baignait-il dans une piscine publique, pourquoi y disait-il au revoir à ses amis, quand il aurait pu les inviter à la maison, ces frites qu'ils mangeaient tous là-bas, ces boissons dommageables à leur santé, tous si détendus, appuyés à la balustrade de bois d'un restaurant, d'un bar dont le toit s'ouvrait sur le ciel brûlant, à quelques pas de la mer, Samuel appréciait donc ces lieux sans distinction où un haut-parleur propageait dans toute la ville, jusqu'à la terrasse d'un hôtel paisible, une musique carillonnant des sons outrés, une imposture, eût dit la mère de Mélanie, on avait disjoint les notes d'un concerto de Beethoven dans une polyphonie hurlante entrecoupée du rythme répétitif, heurté, de la musique rap, ainsi s'exprimaient sur les quais la dolence, le vacarme d'une jeunesse vivant nue au soleil; des palmiers, des drapeaux oscillaient dans le vent, de quelle anxiété était remplie cette heure, pensait Mélanie, ces filles, ces garçons, trop sains, n'entendaient-ils pas le grondement des vagues, soudain, elle le reconnut entre tous, c'était Samuel, son dos droit, sa nuque un peu trop large depuis quelque temps, les cheveux au vent, il reprenait ses vêtements qu'il avait laissés sur une chaise longue, se rhabillait, conversait avec une jeune femme, doux, lents, sensuels étaient pour eux tous ces instants quand Mélanie voyait la portière de la voiture de Samuel se refermer sur lui, fier d'être au volant de sa voiture, ce n'est que pour quelques mois, maman, elle verrait la décapotable rouge s'esquiver à un croisement de rues, d'avenues, doux, lents, sensuels étaient ces instants quand Mélanie contemplait son fils jeune, vivant, une heure encore, avant ce départ, pendant laquelle elle réfléchirait à présenter une exposi-tion de photographies qui ne remontaient qu'à quelques décennies, des artistes africains-américains les avaient préservées afin que rien ne fût oublié dans l'indifférence du millénaire, cette exposition serait l'un des projets de Mélanie cette année, mais les sénateurs, les membres du Congrès, reconnaîtraient-ils les marques d'un esclavage qui ne remontait pas plus loin que la Seconde Guerre mondiale, que diraient-ils tous devant ces photographies où serait exposée, dans le cadre noir du deuil, l'une de leurs villes qui s'appelait hier la Ville de couleur, ville superflue, où marchaient pieds nus en hiver ses squelettiques habitants, c'était la cité des nègres serviteurs où circulait un peuple spectral soumis à la dégradation quotidienne, Mélanie ne pouvait oublier les visages usés de ces cueilleurs de fruits, messagers à bicyclette dans le froid, vieilles femmes qui avaient lavé le linge des Blancs, et cette image virulente des pauvres lobbyistes très dignes dans leurs costumes noirs et gris affrontant l'oppresseur devant les grillages clos d'un palais présidentiel, aux portes d'une capitale administrative, ces photographies qui ne dataient que de 1944 avaient déjà été oubliées, les cratères explorés sur la lune ne libéraient pas ce sang frais des lésions d'une ville-tunnel où avaient vécu des serviteurs noirs, Samuel se souviendrait-il, pensait Mélanie, Samuel, jeune, vivant, pour qui l'avenir ne serait pas une découverte sans taches, combien il n'eût pas aimé savoir sa mère si proche de lui, se rassasiant d'eau glacée à la terrasse d'un hôtel d'où elle étudiait tous ses gestes, il embrassait une femme, entourait de ses bras les épaules d'un ami, et *hush hush* allez-vous-en, saccageurs, criait Carlos, retournez chez vos mères, vous étiez déjà défoncés à la naissance, avec la cocaïne, le crack qu'elles avaient consommé, laissez les coqs tranquilles, cerveaux détraqués, ne les saisissez pas dans

21

vos nasses et filets, tarés, hurlait Carlos, traversant la rue Bahama, dans sa course, Polly, haletante derrière lui, le piquant de légères morsures aux mollets, vous et vos tatouages de poignards sur le bras, je sais que vous êtes affiliés au gang des Mauvais Nègres, *hush hush* voleurs de coqs, saccageurs de plumes, il faudrait vous enfermer tous, les deux voleurs avaient déposé leurs bicyclettes au milieu de la rue sur l'asphalte, lançant leurs nasses, ils sautaient le mur d'un jardin où s'ébattaient les coqs aux cris éplorés, tueurs de sept ans, criait Carlos, on ne vole pas les coqs pour le combat, pour qu'ils s'entre-tuent, germe taré, était-ce l'intonation de sa voix furieuse, Carlos vit les voleurs de coqs se tapir dans l'herbe, sous les branches de bougainvillées, dont les fleurs, d'un pourpre violacé, adhéraient aux vêtements des garçons, les coqs bruns aux fines pattes couleur de paille s'enfuyaient, caquetant de frayeur, tarés, reprit Carlos, huit de votre gang ont violé la psychologue venue à l'école pour vous désintoxiquer, vous et vos gènes maudits, retournez chez vos mères, Carlos vit qu'ils l'écoutaient, tapis dans l'herbe, avec leurs nasses vides, il fut dégoûté par le roulement de leurs yeux aux pupilles dilatées sous leurs casquettes dont les visières étaient baissées, mais des portes ouvertes de l'église une autre voix couvrit la sienne, injuriant les voleurs de coqs, c'était la voix de la révérende Ézéchiel, dans son église de la communauté, cette voix de femme, pensa Carlos, avait le pouvoir d'attirer les foules, quand l'église du pasteur Jérémy était souvent déserte, il était rare pourtant qu'Ézéchiel priât dans son église, tant elle parcourait le pays, se rapprochant de l'église, Carlos repoussa Polly d'un coup de pied qui ne l'atteignit pas, rentre à la maison, murmura-t-il entre les dents, là où je vais, ce n'est pas pour toi, les voleurs de coqs pourraient te prendre dans leurs filets, te massacrer comme leurs poules, ce sont des pilleurs, des tueurs, des saccageurs, Carlos entendait le chant de la révérende Ézéchiel, car c'est par une suite d'appels chantés, modulés, qu'elle soumettait ses fidèles à la prière, dans son église ouverte à tous, en pensant qu'une femme ne pouvait être aussi proche de Dieu que l'était son père, le pasteur Jérémy, le pasteur ne disait-il pas que seuls les hommes participaient aux secrets de Dieu, voici que la plantureuse Ézéchiel qui n'était qu'une femme marchait de long en large sous les voussures de bois de son église, les plis laiteux de sa tunique blanche recouvrant ses pieds massifs, pieds agiles, prompts avec la masse de son corps au mouvement, à la danse, dans de souverains épanchements vers Dieu, viens, petit homme, qu'y a-t-il, demandait-elle à l'un de ses fidèles qui cachait entre ses mains son visage en pleurs, qu'y a-t-il donc, mon poulet, viens plus près de moi, tu es malade, dis-tu, ne sais-tu pas que tu es guéri, toi dont je pourrais tenir entre mes deux doigts la nuque maigrichonne, car Jésus t'aime, dis avec moi que Jésus t'aime, mon fils, dis-le simplement, sois calme, je te porte dans la foi de mon cœur, petit homme blanc, mon poulet, loin de ton âme la hargne, la peine, visage boutonneux, il te faut apprendre à sourire, à aimer, et vous tous qui vous sentez abandonnés, venez près de moi, apprenez à mettre en votre main la main de celui qui est à votre gauche comme de celui qui est à votre droite, que nous chantions ensemble le cantique de la joie, de la guérison, pour votre frère blanc, le poulet malingre, afin qu'il n'éprouve plus ces maux pernicieux qui le tenaillent, redresse-toi, un homme aimé de Jésus ne courbe pas ainsi l'échine, chante et ris, sèche tes larmes, nous qui t'aimons avec Jésus, malade, toi, oh, non! viens près de moi, ne te raidis pas ainsi en priant, mais prie en dansant, écoute mon enseignement, n'est-ce pas un semblant de sourire que je vois sur ton visage d'homme né trop pâle, oui, un sourire, tu dis que nul ne peut te toucher car tu es purulent, viens près de moi que je t'embrasse et te réconforte, mon poulet, tu seras guéri avant la Noël, car ici nous prions tous pour toi et nous avons foi en l'amour de Jésus, reprends courage, frêle petit homme, n'as-tu pas quelqu'un qui te chérit à la maison, car l'amour est ton remède, venez, vous qui êtes seuls, vous qui êtes deux et souffrez tout autant que le petit homme, mon poulet, qui a dit que vous n'étiez pas compris, qui a dit que vous étiez détestés, méprisés est un misérable, Ézéchiel, de qui mes parents m'ont donné le nom, était un prophète hébreu qui annonça la ruine de Jérusalem, c'est l'espérance que je viens annoncer, la joie, l'amour, n'écoutez pas ces prêcheurs de nuit dans nos églises, ne les écoutez pas lorsqu'ils prêchent la discrimination contre les uns, les autres, ce sont des esprits lunatiques souvent corrompus, ils vont jusqu'à s'infiltrer dans les discours des politiciens, ils sont la haine, le mal, la fraude qui détruit les humbles, n'écoutez pas ceux qui parlent d'inondation des continents, ceux qui ne prêchent que les ténèbres et la ruine de Jérusalem, ils pourraient usurper votre vie, votre avenir, que voient-ils encore, que la terre tremblera en Californie, en Amérique du Sud, des pluies de feu, de glace, transperçant les murs de vos foyers, resplendissez dans la lumière comme les lys des champs, ah! petit homme! ce qui te ronge, c'est la peur, toi qui es le fils de Jésus, et pendant que les fidèles emplissaient l'église de leurs chants, de leurs supplications, que la danse de la révérende Ézéchiel les envoûtait tous, Carlos vit les voleurs de coqs se relever, comme s'ils eussent été étourdis, ils enfourchaient leurs bicyclettes sans coqs dans leurs filets, de loin, ils l'injuriaient à leur tour, l'appelant fils-de-rien-vendu-aux-Blancs, Mauvais Nègre toi-même, et Carlos songeait que si la révérende Ézéchiel, qui disait lire dans les âmes, eût pu lire dans la sienne, elle eût perçu les sombres desseins de son cœur, plus coupables que ceux des voleurs de coqs, entraîner un coq au combat n'était pas un crime, trente-cinq dollars, telle était la récompense pour un combat de coqs réussi, quand Carlos méditait quelque malheur pour Lazaro, l'Égyptien, le musulman immigré rue Bahama, la montre de Lazaro, il m'attend, me la réclame tous les soirs, je vais tirer à blanc, ce sera pour l'effrayer un peu, quelques coups en direction des jambes, attention à cet officier qui pourrait bien être là, à la porte du Collège de la Trinité, et qui compte ceux qui passent avec des couteaux, des chaînes, et cet autre officier qui fait le guet devant l'église baptiste, il pourrait nous apercevoir, nous entendre, encore armés, les gars, hein, dirait-il, est-ce que vos pères sont tous des vendeurs d'armes ? Midi sera l'heure de la vengeance, midi, entre Lazaro et moi, et l'officier dira d'un ton pompeux, la main sur le flanc, là où se cache le revolver sous la gaine de cuir, je vous le dis, vous allez grandir et mourir dans nos prisons de l'État, car on ne fait pas qu'y vivre, en mangeant tous les jours, gras et fort comme un cheval, non, on crève dans ces lieux-là, sous le vrombissement des avions, à midi, la voix de Lazaro sera sèche, faible, remets-moi cette montre, Carlos, c'est un cadeau de ma mère ; le fusil sans balles sera dissimulé dans un étui, un cartable, sous mon bras, vous serez dans une cellule du bloc C, dira l'officier, nous en avons assez de vous materner, vous allez devenir vieux dans ces tombes à barreaux, encerclées de barbelés en lames de rasoir ; jusqu'à l'âge de cent ans, avec vos sentences à vie pour homicide, oui, pensait Carlos, il leur faudra des chiens pour déterrer le fusil, il y en a six mille cent parmi vous dans ces prisons, dira l'officier, et votre nombre croît tous les jours, au printemps dernier, souvenez-vous, il avait seize ans, celui qui a tué un prêtre épiscopalien, Folie Noire, Crazy est son nom, il est incarcéré à vie dans les vallées de charbon de la Pennsylvanie, à Houtzdale, il est pieux, ils le sont tous, que de crucifix dans leurs cellules, de croix sur leurs poitrines, d'autres, très jeunes, apprennent à lire et à écrire en purgeant leur peine, dans les vallées du charbon noir et des clôtures d'acier, Crazy avait enfoui vingt mille dollars dans une boîte à chaussures, vendange d'un vol à main armée, il dit aujourd'hui qu'il est le Christ, le Christ de Houtzdale, graine vicieuse, fourbe, tu seras pendu, dans ta cellule qui fait quatre mètres carrés, il va expirer en regrettant le repas du soir chez sa grand-mère, poulet grillé, brocoli, lasagne, mais moi, ils ne m'auront pas comme Crazy, huit ou dix fois il faudrait me viser dans le dos en me ratant toujours, Carlos se souvint que, le jour de la remise des diplômes, Mama avait acheté un complet en soie rouge, c'était une dépense démesurée, un complet en soie rouge, une cravate, rien n'est irréversible, rien n'est irrévocable, psalmodiait la révérende Ézéchiel dans son église, ne les écoutez pas lorsqu'ils diront qu'en un premier janvier se lèvera une lune de sang dans le ciel, souvenez-vous de ces paroles, les justes posséderont la terre, et sur elle ils résideront pour toujours, la mort ne sera plus, ni deuil, ni cri, redresse-toi, petit homme blanc, rien n'est irrévocable, au loin les convulsions de tes nuits de peur, n'as-tu pas la foi ? Les voleurs de coqs, leurs bicyclettes disparaissaient dans une poussière chaude, dense, qu'il vienne, qu'il approche, ce Lazaro, je suis prêt, pensait Carlos, pieds nus dans ses sandales, il battait l'air des rues, les craquelures des trottoirs, leurs sillons d'insectes grillés par la chaleur, Polly étirait le cou vers le visage colérique de Carlos haut perdu dans le ciel, une bicyclette, une montre électronique, répétait-il, et Lazaro ose me les réclamer, où allaient-ils ainsi, Carlos, Polly, et Lazaro marchait au soleil d'un pas calme, résolu, il affronterait Carlos devant l'église baptiste, si aucun officier ne traînait par là, bien qu'il n'eût aucune envie de se battre, nostalgique du temps où, à l'arrivée de ses parents dans la ville, Carlos, Lazaro avaient été d'inséparables amis, Carlos, Lazaro, boxant ensemble, dans une salle de musculation au-dessus d'un restaurant aujourd'hui démoli, dans un amphithéâtre de rue, arène qu'ils improvisaient dans les jardins fanés de la rue Bahama, l'odeur croupissante des poubelles, la basse attaque des coups de pieds de Carlos, toujours plus agile que Lazaro, fini ce temps de leurs échanges, Carlos avait trahi Lazaro, une montre électronique, une bicyclette, c'était un voleur, Lazaro croisa deux équipes de joueurs de hockey, sur leurs patins roulants, de leurs bâtons ils s'efforçaient de faire pénétrer la rondelle dans le but adverse, Lazaro voulut se joindre à eux, tous très noirs dans leurs maillots noirs, mais ils étaient trop bruyants, pensa-t-il, des chats bondissaient tels des éclairs entre les roues des voitures pendant que Lazaro craignait pour leurs vies, dommage que Lazaro eût affaire à Carlos, ce jour-là, c'eût été un jour idéal pour la pêche; dans les jardins des garderies, les enfants attendaient leurs mères, les tourterelles se désaltéraient aux bassins de pierre, retroussaient leurs gorges roses en remuant l'eau de leurs coups de becs, oui, pourquoi fallait-il que Lazaro eût à se battre aujourd'hui, quand sa mère le lui avait défendu, ils avaient quitté une terre de malédictions où les cousins, les oncles de Lazaro, allaient mourir en martyrs, disait sa mère, militants terroristes, ces cousins, ces oncles avaient attaqué des innocents dans des temples, de jeunes garçons leur lançaient des cailloux, des femmes crachaient de mépris lorsqu'elles les voyaient, ils dévastaient les temples de Louksor, assassinaient les touristes et juraient de verser plus de sang encore, pendant qu'ils priaient par centaines dans les mosquées, leurs leaders les incitaient à mourir avec honneur pour l'islam, Caridad, la mère de Lazaro, avait désobéi à la loi en refusant d'être l'une de ces femmes voilées des pieds à la tête, portant des gants pour mieux se couvrir, Caridad ne serait pas de celles qui préparaient pour les hommes le thé, le café, pendant ces réunions où ils exhortaient à la haine, il était interdit aux femmes d'assister à ces réunions, offrant aux hommes le café, les gâteaux secs, les fruits, leur devoir était de se retirer aussitôt, eux, ces oncles, ces cousins seraient pris par la police égyptienne, condamnés, emprisonnés injustement, ils seraient soumis à la torture, des chiens hurleraient, des femmes se lamenteraient contre un mur, les mères de tous ces jeunes gens, Dieu est grand, diraient en chœur les militants, à l'instant de leur mort on allumerait une tige d'encens, ils avaient dit adieu à cette terre de martyrs, et Lazaro sourit dédaigneusement à un groupe d'écolières blondes en uniformes et à leur institutrice, ces filles, en Angleterre, en Amérique du Nord, lui avaient appris ses oncles, ses cousins, iraient en enfer, elles succomberaient vite aux péchés du sexe et de la drogue, seul l'islam était la pureté du salut, dommage qu'il fallût rencontrer Carlos à midi, à quoi bon se battre, lui avait dit sa mère, quand tous les pays s'excitent dans de sanglants combats, mais fier de son héritage égyptien, Lazaro exhibait, en marchant, l'amulette de Toutankhamon à son cou, il était midi lorsque Lazaro aperçut Carlos qui fonçait vers lui, écartant son chien d'un geste brutal, Polly recula, étonnée, sur ses pattes de derrière, avant de s'enfuir, je t'ai dit d'aller à la maison, cria Carlos, tout n'était que tumultes et cris, autour de Carlos, de Polly, le vrombissement des avions atterrissant sur la piste, près de la mer, étouffait la voix de Lazaro qui exigeait que Carlos lui remît sa montre, ma montre Adidas, je la veux, la voix de Lazaro devint muette lorsque la détonation d'un fusil alourdit l'air lénifiant, ce n'était donc pas un faux calibre 38 ne contenant aucune balle, pensa Carlos, le front échauffé par la force du soleil comme s'il avait la fièvre, nul ne semblait entendre le cri de Lazaro, s'affaissant sur le trottoir, qui étreignait de ses bras ses jambes blessées, ce n'est qu'une éraflure, pensait Carlos, une écorchure à la jambe droite, debout, Lazaro, ordonna Carlos, le cuisinier cubain m'a dit que ce fusil n'était qu'un jouet pour sa protection dans les cuisines, Lazaro s'écroula pesamment, renversa la tête sur le ciment comme s'il eût été mort, la grande ombre de Carlos se pencha vers lui, quel acteur, dit Carlos, mais il vit du sang sur le trottoir, Lazaro s'étalait sous un arbre où venaient de choir des fleurs d'hibiscus

orange, oui, il respirait, appelait à l'aide, l'officier serait
bientôt là avec sa meute, Carlos avait pris la fuite, la plainte
claire de la voix de Lazaro le poursuivait, Lazaro disait à
l'officier c'est lui, Carlos, c'est lui qui m'a tué. Doux, lents,
sensuels, ces instants, pour Samuel au volant de sa voiture,
les cheveux au vent, sa décapotable rouge roulant vite,
dans un bain d'odeurs enivrantes, profusion de parfums,
d'odeurs, cette odeur marine qui s'exhalait de sa peau
après des heures de dérive sur une planche à voile, le scoo-
ter surmontant les vagues, la plongée sous-marine, ces
activités qui étaient toujours les siennes dans l'île, parfums
aussi des longs arbres ornant les seuils des maisons de bois,
mais bientôt le tourbillon d'une vie nouvelle, à New York,
pensait Samuel, il ne fallait plus revoir les visages des
jeunes frères et sœur, d'une mère adorée si souvent absente
de la maison, dès ce soir, elle partirait pour Washington,
quelque caresse furtive sur les joues de son fils et elle ne
serait plus là, que lui avait-elle dit en le serrant dans ses
bras, écoute ton père, c'est lui qui a raison, cette formation
de danseur te fera du bien, la grand-mère de Samuel avait
décrété que sa dyslexie serait un grave empêchement à des
études universitaires, on disait dans la famille que Samuel
n'aimait que la musique et la danse, pourquoi ne serait-il
pas, pensait Samuel, que ce simple Papageno épris de la
musique des cloches, du chant des oiseaux, des trilles de
ces voix, flûtes et chants d'oiseaux que lui transmettaient
ses écouteurs, le bruit de l'eau à ses pieds, lorsqu'il som-
meillait sur une plage, adieu après-midi de paresse auprès
des filles, paresseux, lyriques, oui, ces Papagenos, ces Papa-
genas, aimant l'amour, le soleil, la mer, le délire de ne rien
faire, comme l'oisif Papageno, chanter, danser, rêver, ce

professeur noir, Arnie Graal, chorégraphe célèbre, transformerait le talentueux Samuel en un artiste discipliné, disait Daniel, qu'il cessât enfin, ce fils choyé, ses flâneries sur l'eau, les plages, ses nuits dehors parmi ces jeunes insulaires, dans leurs tapageuses discothèques, qu'on fût envers son fils sans indulgence, disait Daniel, le professeur Arnie Graal saurait inculquer à Samuel une formation sévère, on avait vu Samuel danser aux fêtes, il avait chanté dans les églises, à la synagogue, sa voix avait mué, telle la mue des serpents, des animaux, oh! qu'il fût toujours cet animal! pensait Samuel, coulant dans la fraîcheur d'une peau neuve au soyeux plumage, chacun de ses poils blonds reluisant au soleil, la vie amoureuse de Samuel déconcertait sa mère, qu'était-ce que ce libéralisme de ses parents si vite offensé, ou était-ce l'influence de sa grand-mère, la dyslexie de Samuel les gênait autant que sa précocité sexuelle, enfin il partait, agissait comme un homme, s'évadait des affres de la puberté, vivement que les frangipaniers répandent sur les trottoirs leurs fleurs capiteuses, le poinciana royal, ses fleurs rouges, que croisse dans le jardin le lys de la pluie dont Mère recueillait les bulbes vénéneux, Daniel, Mélanie, n'avaient-ils pas avoué à Samuel qu'eux-mêmes, lorsqu'ils avaient quatorze ou quinze ans, avaient connu ces voluptés dans les parfums du soir, de la nuit, mais bientôt, dans quelques années, ils auront quarante ans, leurs sens seront engourdis, perclus, pensait Samuel, dans la course de la décapotable rouge, la précipitation de sa vie, lorsqu'il se séparait des rivages de la mer, Samuel avait cru entendre l'appel de la perruche blanche sauvage, de son nid; à cette heure on sortait les chiens pour leur promenade, boulevard de l'Atlantique, dans les pins, l'orpheline perruche chantait au voisinage sa désolation, on avait entendu dire que ces trois perruches étaient les anges des pins du quartier, deux d'entre elles avaient été pourchassées par des enfants saccageurs, un passant avait reçu dans sa main leurs plumes tailladées, la perruche blanche sauvage s'envolait seule dans le ciel du soir, planant au-dessus des pins, des manguiers, appelant les siens, mais doux, sensuels, étaient ces instants pour Samuel s'en allant sur les routes, l'âme sereine, les cheveux au vent. C'est la vision de l'oiseau captif, enchaîné dans les câbles d'un quai de gare, à Madrid, qui avait éveillé en Daniel cette continuelle souffrance d'être vivant, quand tout spectacle de la douleur nous pénètre, ce moineau des champs connaîtrait une atroce agonie avant que Daniel ne parvînt jusqu'à sa retraite, un monastère implanté dans une ville du XIe siècle, sur les collines, travaillez dans le silence, soyez comme un moine, sinon vous ne serez qu'un auteur à succès, avait dit Adrien à Daniel dans sa sollicitude d'aîné et de froid critique de l'œuvre de Daniel, je ne parle pas ici de réussite mais de succès désinvolte, incluant la fortune, ce que vous avez déjà grâce à votre famille, ce monastère vous calmera de vos vanités acquises quand sont parues vos *Étranges Années,* je fus le premier à acclamer la qualité prophétique de votre livre, malgré quelques défauts de jeunesse, là-bas, vous reprendrez vos esprits, vous serez obsédé par la solitude, dans les montagnes, mais vous serez plus authentique, croyez que je ne vous parle ainsi que parce que j'ai beaucoup d'estime pour vous, Daniel s'irritait d'entendre encore si puissante à son oreille la voix du vieil écrivain, tout en parcourant le couloir central du train, affligé, il savait qu'il ne pouvait sauver l'oiseau ni lui rendre sa liberté, le moineau se débattait, fébrile, dans sa prison de câbles d'acier et de verre, qu'il meure, pensait Daniel, oui, tout de suite, l'oiseau s'obstinait dans sa lutte, sans doute son cœur était-il pantelant d'effroi, quand donc l'épuisement finirait-il par le vaincre ? Il y avait des milliers d'oiseaux piégés ainsi dans les pylônes des gares de marchandises, sous les passerelles, les rames des trains, pourquoi Daniel dût-il être témoin de la torture de celui-ci, moineau des champs prisonnier de la tourmente des villes industrielles dont le destin de captif était celui de milliers d'hommes, de femmes, Daniel était parmi les privilégiés de ce monde, qu'était-ce que cette suave tendresse qu'il ressentait pour les uns, les autres, de la sentimentalité puérile, lui eût dit Adrien, suivez votre chemin, sinon vous allez bientôt vous plaindre comme tant d'écrivains de l'impuissance d'écrire, mais Daniel ne reverrait plus le moineau incarcéré, le train s'ébranlait, de jeunes Américains le regardaient avec hostilité, pourquoi n'avait-il pas sauvé ce pauvre moineau, semblaient-ils dire, était-il impassible, cruel ? L'un d'entre eux, inconscient du drame de l'oiseau, posa une question banale, vous partez en vacances, Monsieur ? N'avait-il pas l'air comme ces jeunes gens d'un campeur visitant l'Espagne, pourquoi l'appelait-on Monsieur, lui qui était un écrivain anarchiste, il ne leur dirait pas qu'on l'avait invité à joindre dans leur retraite des écrivains, des artistes de diverses disciplines, de tous les pays, cela n'eût-il pas semblé arrogant, pour ces jeunes gens, quant à leur avouer qu'il était écrivain, l'auteur de ces *Étranges Années,* livre souvent taillé en pièces par la critique, pourquoi eût-il importuné la quintessence de cette jeunesse avec ses préoccupations, savaient-ils, eux, qu'un dictateur nommé Hitler avait eu un chien, victime de sa démence, plus jeunes que son fils Samuel, ils n'avaient pas hérité comme lui du mal de la connaissance dans leurs gènes, mais ils avaient hérité du monde, ce qui était comparable, Arnie sera pour Samuel un excellent professeur de danse, pensait Daniel, songeant à Samuel, qu'il voyait planer au-dessus du pin australien, mais enfin il fallait que Samuel quitte cette île, pensait-il aussi, la récente chorégraphie d'Arnie à New York étonnerait Samuel par sa nouveauté, son audace juvénile ; en créant l'ironique *Matinée d'un survivant*, Arnie avait-il confié à Daniel, il ne vivait que pour danser, provoquer des états de conscience aigus, accélérés, Arnie, comme le moineau vigoureux, exténué sous sa paroi de câbles, aussi entêté à vivre, allait-il vaincre ou mourir ? Il repoussait médecins, infirmières aux allures compassées, disait-il, qui jouissait d'une meilleure santé, en dansant si près du gouffre, que lui-même, Arnie, superbe félin noir des salles de danse et de théâtre, souvent vêtu d'une veste de suède boutonnée sur une chemise d'une rayonnante blancheur, un collier d'os à son cou, rigide et têtu, Arnie eût bien pu être prêcheur comme son père, pensait Daniel, cet athlète forcené de la danse saura modérer l'exubérance de Samuel, sa confiance illimitée en lui-même, Arnie convertira Samuel à sa passion pour la littérature, Proust, Gertrude Stein, quand Samuel lisait si peu, et comment ne pas admirer Arnie et sa compagnie qui ont déjà créé cinquante chorégraphies dont la dernière, *Matinée d'un survivant*, a conquis Munich, chorégraphie qui est le revers brutal de *L'Après-midi d'un faune*, où Arnie lève le voile sur ces sensuelles langueurs qui nous privent peu à peu de la vie, vaincre ou mourir, le seul sujet du millénaire, dit Arnie, nous sachant tous condamnés, osons affronter la mort, la mettre en scène dans nos œuvres, peut-être est-il fou, pensait Daniel, tel l'oiseau s'ébattant contre les câbles, que deviendra-t-il dans cette ultime quête de délivrance ? Arnie défiait les conventions de la danse classique, ses danseurs étaient souvent imparfaits, difformes même, pourvu qu'ils dansent bien, écoutez le chant de votre corps, disait Arnie, c'est le cantique de la beauté et du péril, que dirait Samuel à son père, ces thèmes, la brièveté de la vie, la mort, n'étaient pas aussi les siens, à quels démons Daniel ne le sacrifiait-il pas, serait-ce encore la manifestation de l'égoïsme de l'écrivain s'isolant de sa famille pour écrire, bien qu'il eût conseillé à Daniel un isolement aussi maussade, Adrien, lui, vivait entouré, suivant le matin, avec Suzanne qu'il tenait par la main, le sentier des hibiscus vers le court de tennis, son fils le conduisait en voiture au terrain de golf dominant l'océan, qu'on ne l'exaspère pas avec cette solitude qu'il imposait à Daniel, guindé dans ses flanelles à rayures, Adrien rassemblait autour de lui étudiants et chercheurs d'une œuvre dont il détenait seul la clef du mystère, c'était d'une voix ample qu'il récitait cette poésie tonifiante, cette voix d'Adrien n'avait pas encore connu la cassure, comme la voix de Jean-Mathieu, hésitant sur l'écueil des mots, ni comme celle de Caroline, aux pathétiques échos brisés, Caroline échapperait à ce problème avec l'aide de son chirurgien, ce n'étaient pas là les affaires de Jean-Mathieu et d'Adrien, auprès de qui elle s'ennuyait au jeu des anagrammes depuis qu'elle avait une dame de compagnie plus divertissante que ces grammairiens qui, dans leur érudition, lui concédaient rarement la victoire, pourquoi ces sauts d'obstacles linguistiques, dans les pièces closes des maisons, quand on pouvait voyager, dépenser une modeste fortune, laquelle en fin de vie, disait Caroline à Jean-Mathieu, n'a plus le même caractère frivole, l'âge n'est-il pas venu de vivre sans morale ni pudeur, vaguement troublé, Jean-Mathieu écoutait ces déclarations de son amie, elle n'en ferait donc toujours qu'à sa tête, pensait-il, je suis chagriné, lui dirait-il avec douceur, de cette soudaine distance entre nous, qui est cette jeune femme qui partage votre vie? À notre âge, au contraire, il faut vivre avec pudeur, se méfier des rencontres nouvelles, mais Caroline n'avait toujours écouté que les bouleversements de ses impulsions, pensait Jean-Mathieu, elle avait un constant besoin de combustion, de floraison, même s'il était un peu tard, c'était aussi une femme vite réparée, ennoblie par l'action, la témérité, certes, ils étaient tous de moins en moins seuls, Adrien, Suzanne, Jean-Mathieu, Caroline, quand Daniel serait bientôt face à lui-même dans la cellule d'un monastère, imitant Charles, fuyant le monde, hier dans une institution hôte de Jérusalem, aujourd'hui dans un ashram en Inde, aux pieds des monts Aravalli, Charles transmigrant son âme ailleurs, le seul, pensait Daniel, qui eût trouvé dans l'écriture le sens de sa mission sur la terre, un art, chez lui, opération de clarté, de transparence, mais pourquoi Daniel eût-il imité un poète inimitable, mystique quand il était charnel, écrivain s'inscrivant dans une autre lignée, celle des morts illustres même s'il était vivant, l'unique livre que Daniel eût écrit, ses *Étranges Années,* Adrien lui avait reproché la lenteur du style autant que l'abondance des mots, n'y en avait-il pas trop, quant au style, cela était excessif, toutes ces couches d'atmosphères se superposant souvent de manière sinistre les unes aux autres, Daniel à l'avenir ne pourrait-il s'alléger un peu, qu'avait-il tant à dire que son père, sans écrire une seule ligne, n'avait héroïquement vécu pendant la guerre? C'est cette voix d'Adrien chuintante de sous-entendus malicieux que Daniel allait réentendre dans sa cellule, où, au XIe siècle, des moines s'étaient aigris dans le jeûne, il y aurait aussi ces bruits de la rue, du vent de l'été dans les arbres fruitiers, ces conversations de jeunes gens dans les cafés, la volubilité des foules dans les rues, le soir, l'animerait de leur gaieté, Daniel songeait qu'il n'avait toujours écrit qu'avec un ou plusieurs enfants sur les genoux, rédigeant son courrier électronique, secondant Marie-Sylvie dans les tâches des repas, depuis les fréquentes absences de Mélanie, Mélanie, femme leader, engagée à défendre les droits des femmes, des enfants, quand, de son côté, tout en écrivant tout le jour, Daniel, comme le décrivait Joseph, son père, exprimait une combativité de samouraï écologiste, dans ses lettres aux journaux, ses commentaires à la télévision, pour la réhabilitation de la côte de Corail, l'écriture d'un livre ne permettait-elle pas, pensait Daniel, de sanctionner ceux que la loi n'avait ni sanctionnés ni punis, qu'ils fussent les destructeurs de la côte de Corail ou les auteurs des méfaits les plus macabres de l'histoire, en ce matin de désordre dans une gare de Madrid, quand Daniel ne s'était lavé ni rasé depuis deux jours, ce qu'il fallait sanctionner par des pages d'écriture, c'était ce monstrueux hasard qui avait tenu l'oiseau captif, ôtant le bonheur de chanter à une chantante créature, soudain ligotée aux câbles du quai d'une gare, et Polly ne reviendrait pas rue Bahama, comme Carlos lui en avait donné l'ordre, la rouant de coups de pieds, tant de tumulte, de cris, autour de Carlos, à midi, la détonation d'une arme, le vrombissement des avions dans le ciel, Polly irait vers la mer, Polly, Carlos, jadis indivisibles, ils se retournaient ensemble vers qui les appelait, c'était la voix de Mama, la voix tonitruante du pasteur Jérémy, laquelle déplaisait à Polly, ensemble, ils écoutaient, obéissaient, Carlos, Lazaro, indivisibles, inséparables, Carlos, Polly, tous ils avaient entendu en même temps la foudre du grain de plomb, puis la sirène d'une ambulance à midi, Polly déviait seule de la route de Carlos, de l'odeur âcre de ses sandales de caoutchouc, son odeur, quand se termineraient donc ces batailles, disait Mama, ces batailles et ces ecchymoses, rue Bahama, depuis l'arrivée de ce Lazaro, l'Égyptien, on ne dormait plus, ne priait plus, Polly écoutait le bruit de l'eau, de ses bonds vers les rives, elle déplaçait les plumes des oiseaux, faisceaux de plumes sur les têtes des aigrettes, goélands venus en colonies aborder à ces plages avant de migrer vers les côtes de Sinaloa, de Sonora, dans le froissement rapide de ces plumes, de ces ailes, Polly courait vers la mer orageuse, grognant au passage d'un garçon dans les vagues auprès de ses deux lévriers, nous serons les premiers, criait-il, joyeux, la mer, ce jour-là, était aussi chaude que le sable, l'air, on en sortait en frissonnant avec délices, courez vers la balle, nous serons les premiers, criait le garçon, que faisait donc Polly sans Carlos, dans la mer, chienne menue qui avait tenu autrefois dans le porte-bagages d'une bicyclette, Polly aboyait comme les autres chiens d'un aboiement enjôleur, elle était aussi alerte qu'eux à la nage, à la course vers la balle que rattraperaient les lévriers et l'enfant extatique qui galopait sur leurs dos, où était Carlos, plongeant furieusement dans la mer tout habillé, enlaidissant l'eau de ses vêtements sombres, c'était un voyou, disait sa mère, seuls les voyous se jettent tout habillés dans l'océan, froissant leurs habits, Mama avait décidé qu'ils seraient toujours indivisibles, Carlos, Polly, rue Bahama, en claquant la porte, elle demandait au pasteur Jérémy, ont-ils dormi, ont-ils prié avant de dormir, iront-ils tous les deux en prison ? Carlos eût froncé ses épais sourcils, nageant sans égard pour Polly, qu'elle se débrouille, la mer, les vagues étaient à eux, il eût froncé ses sourcils noirs en disant, ce ne sont que les chiens des Blancs, Polly, tu n'as qu'à aboyer plus fort qu'eux ou à les mordre, tu es à moi, Polly, il se fût renfrogné, ruisselant d'eau, de colère, s'ébrouant après le bain, la plongée dans les vagues, Polly eût reconnu l'odeur rance émanant des vêtements mouillés de Carlos, leur odeur, cela qui tressait ensemble leurs destins, seraient-ils inéluctables, ces destins, auraient-ils le temps de dormir, de prier, demandait Mama, que l'eau tumultueuse berce Polly de ses rafales, vivre c'était oublier Carlos, sa voix, ses ordres, elle ne se laisserait pas intimider par lui, l'eau, l'air étaient si chauds, bienfaisants ; les tourterelles, les colombes, l'aigle à tête blanche, le colibri à gorge rubis butinant mes buissons de roses, je les vois tous de ma terrasse, écrivait Jean-Mathieu à Charles, ô ami, t'exerçant loin de nous à ta pure ascèse, ne sais-tu pas de quelles privations j'ai gagné mon étroit domaine, cette chambre dans les hauteurs, laquelle est un peu trop près du Ciel et de Dieu, je préfère à ces interventions de Dieu dans ma vie ses bécasseaux, les plumes lisérées de brun de ses canards, au bord de nos étangs, de nos lacs, comblé, je le suis, quelque peu attristé que Caroline me négligeât pour des mondanités avec sa dame de compagnie, tu le sais, je suis l'homme des amitiés éternelles, je voyagerai seul à Venise, dans quelques jours, dommage que la chaleur m'oppresse un peu, combien de jours, de nuits, ont-ils volé, mes hérons, depuis l'Oregon jusqu'au sud de l'Idaho, puis au nord jusqu'aux Antilles, j'inscris leur itinéraire, dès mon lever à cinq heures, au son des vagues, quant aux canards, lorsqu'ils repartiront pour les vasières, les marécages, l'humidité des champs de céréales, que l'habileté des tireurs ne nous les prenne pas, ne peux-tu pas renier, mon ami, ce poème que tu écrivis dans lequel nous fûmes tous anéantis, hommes et choses, dans quel précipice de sels brûlants, corrosifs, nous fis-tu tous basculer, nous, nos amours, nos haines, efface cette épreuve que tu nous fis subir, tes mots pour le dire fussent-ils dignes de Virgile, songe qu'avec le temps, ne suis-je pas à ma quatre-vingtième année, nous sommes touchés par une irrémédiable sympathie pour tout ce qui vit, nous accueillons tous les paradoxes, frémit encore sous mes yeux dans le froid ce petit garçon que j'étais, il est dans ce port de Halifax où nous étions, ma mère et moi, sa mère lui dit d'être courageux, n'efface pas son souvenir de ta pluie de sels, de feu, que le visage de cet enfant est charmant, même sous les larmes, c'est bien lui que je porte encore en moi aujourd'hui, réécris ce poème en pensant à l'enfant confiant que tu fus, on ne peut être trop réaliste et naturaliste en poésie, réjouis-toi dans quelque complicité de jeunesse, de renaissance, comme le fait Caroline, même si je languis de déjeuner tous les jours avec elle, comme autrefois, je comprends qu'elle me juge soudain trop vieux pour elle, n'aimerais-je pas moi aussi les cajoleries d'une jeune personne, si je n'étais si inquiet de ma biographie de Stendhal, je n'en suis qu'à son séjour en Italie pendant les guerres napoléoniennes, on l'a fait officier, il n'a pas encore écrit *Le Rouge et le Noir*, qu'il soit épargné, c'est encore un enfant, je vis près de lui dans cette chambre, avec lui, je me soucie peu de mon œuvre posthume, bientôt je serai en Italie, j'irai d'abord à Milan sur les pas de Stendhal, mais que ne donnerais-je, Charles, pour effacer ces lignes que tu as écrites, où, dis-tu, ces splendeurs de la vie que nous voyons briller d'un éclat si rutilant, la mer en cette journée, le reflet du soir sur mon papier à lettres où la plume d'acier trace des phrases calligraphiées, ainsi, tout ce qui me donne tant de plaisir est déjà corrodé, dis-tu, par ce sel virulent, jusqu'au blanc de la neige, sera terni, ce sont là les erreurs d'une âme dépressive, car ce que je vois de ma fenêtre, Charles, ne peut à ce point disparaître tant que voient mes yeux, tout est inscription dans le souvenir, travail de calligraphe, la moindre patte d'oiseau gravant son empreinte dans le sable, là-bas, dans ton ashram, en Inde, n'es-tu pas trop solitaire, Charles, et Jean-Mathieu songeait combien l'immobilité, lorsqu'on se met à l'écriture, causait de lassitude, si appliqué était-il au dessin d'une écriture généreuse, cordiale pour les amis, tout en étant inimitable dans son apparence, était-ce déjà l'heure lumineuse, redoublait alors son désir de s'habiller pour sortir, le temps de préparer, avec Suzanne et Adrien, le séminaire sur les écrivains nordiques de l'hiver, quel éventail de lavallières, de cravates flottantes sous le col de la chemise, de shorts aux couleurs attrayantes dans la penderie, que la lumière de ce beau jour vînt purifier le pessimisme de Charles, ou eût-il fallu que Jean-Mathieu fût franc avec Charles, lui dépeignant sans pitié l'état de délabrement de son ami, la chute de Frédéric dans sa piscine, les étourdissements de ce corps décharné luttant contre l'aspiration du vide, débilitant travail de la maladie, non, Jean-Mathieu se tairait, ce n'est pas ainsi que Frédéric avait vécu, pensait Jean-Mathieu, qui sait si ce Frédéric, jadis enfant génial, célèbre pour sa virtuosité au piano, tel Paganini au violon, n'avait pas interrompu la dissolution des mondes; invités par les chefs d'État, ils avaient abrégé grâce aux sons de leurs instruments les hostilités entre pays ennemis, quelle douceur passait avec eux sur ces empires des hommes qu'assommait l'usure de la cruauté, en les écoutant jouer, des dictateurs avaient souri, se leurrant de feinte bonté à quelques instants du déclenchement de maléfices, si la terre ne s'était pas totalement embrasée, c'était à cause d'eux, Frédéric enfant, Paganini, pensait Jean-Mathieu, Dieu avait magnétisé en eux sa minute de distraction qui sauverait peut-être le monde de ce doigt machinal se pressant d'atteindre l'interrupteur, grâce aux mélodies de quelques notes de piano, nous verrions l'aube devancer les plus funestes calamités, Jean-Mathieu se réveillerait inondé de lumière sur son lit blanc, dans le pépiement de ses oiseaux, Frédéric lui avait toujours semblé être un des leurs, même si depuis quelque temps nul n'écoutait plus sa musique, et pendant une halte du train dans les collines parfumées où Daniel se sentit revivre en arpentant une plate-forme bruissante de chants d'oiseaux, une volière apparut à Daniel, une centaine de serins dorés auxquels un badaud distribuait des graines de tournesol chantaient, dans le battement de leurs ailes unies, les serins auraient pu s'envoler pendant que les nourrissait la main de l'homme, mais ils semblaient tous noués par la faim à un même fil, dans la volière, Daniel eût écarté le badaud et renvoyé vers les cimes des montagnes les serins, avant qu'ils ne fussent capturés dans une boîte tels ces oisillons, tangaras écarlates, paradisiers rouges que vendait un marchand d'oiseaux en Bolivie, mais il ne fit que les écouter chanter, songeant qu'il serait bientôt confiné dans un couvent, quelques heures plus tard, sautant de la marche du train, il vit venir vers lui dans une gare de campagne un artiste dégingandé qui lui prit amicalement le bras, je suis Rodrigo, poète venu du Brésil, dit-il d'une voix à l'accent étranger, j'ai lu votre livre, je crois comme vous au retour des âmes, comment s'expliquer autrement la confusion du monde, ai-je écrit cela, le retour des âmes? dit Daniel, mais oui, souvenez-vous, dit Rodrigo, vous avez écrit, ces âmes rejetées par les crimes de leurs parents qui habitaient des corps innocents immolés trop tôt reviennent sur la terre, qu'ils ravagent de leurs frayeurs et parfois de leurs crimes, j'ajouterai, dit Rodrigo, que ce sont des âmes impénitentes comme celles qui les ont conçues, je ne crois pas comme vous à l'innocence, ils ont quinze, seize ans et sont la réplique de la propagande nazie de Joseph Goebbels, par centaines, on les voit dans les rues de Buenos Aires, c'est l'Ordre nouveau, l'Ordre sanguinaire, voilà ce que j'ai omis d'écrire, pensait Daniel, ces âmes en écueils rôdaient autour de nous dans le gluant brouillard des sévices ancestraux, vous verrez, lançait Rodrigo d'un ton lugubre, si Adrien eût été moins enclin à la propreté, il eût ressemblé à Rodrigo, pensait Daniel, Rodrigo passait avec fierté sa main aux ongles noircis d'encre dans ses cheveux, vous savez, il y a longtemps que nous recourons au silence des monastères, à leur protection, déjà au XVIIe siècle nous disions adieu à nos mères, à nos filles, aujourd'hui nous ne fuyons que le goût des frivolités, l'absurdité de nos ambitions, guidé par Rodrigo, vers des routes de forêt, dans sa voiture qu'il poussait à fond, Daniel s'approchait du sanctuaire de l'écriture ; une chambre dans un cloître qu'il avait tant convoitée, dès qu'il se mit à somnoler sur son matelas dur, les mains jointes sous sa tête, il se sentit enfermé comme ces saints dans leur crypte avec leurs ossements, son fils Samuel avait raison qui l'avait prévenu de cette morosité des couvents, des cloîtres, la vraie vie se passait au-dehors, de latentes morbidités le tourmentaient jusqu'ici, tel ce jour où Vincent avait failli succomber à une crise, en mer, croyant en la permanence d'un ciel bleu, Daniel avait oublié à la maison le médicament qu'il devait prendre toutes les heures, la perspective d'un voyage en voilier en compagnie de Vincent effaçait tout danger, toute menace qui auraient dû être toujours présents à son esprit, les quintes d'une toux grêle gonflaient soudain la poitrine de Vincent, pendant que le ciel se chargeait de nuages noirs, par quel miracle Daniel avait-il bénéficié de ce moment de grâce où la vie de son fils n'avait pas sombré, comment avait-il gravi à temps les escaliers d'un hôpital, son fils dans les bras, il eût fallu naître avec la prescience de tous les malheurs pour éviter tant d'erreurs humaines, sportif et déjà bien portant, Vincent avait oublié l'étourderie de son père qui n'était pas le père parfait qu'il prétendait être, quoi penser aussi de la démangeaison professionnelle de l'écrivain qui chez lui était toujours à l'affût de ses personnages, pour quelque trait moral ou physique, ne poussait-il pas l'interrogation de ses semblables jusqu'à l'impudeur, questionnant partout les uns, les autres, où qu'ils fussent, même pendant leurs moments de détente, Daniel examinait, consultait, fouillait les souterrains de l'homme ordinaire, car se révélaient souvent sous l'apparence vertueuse la lâcheté, la veulerie, ce sont ces femmes, ces hommes de la juste voie que Daniel dépeignait dans ses livres, leurs actions roublardes les plus cachées, ainsi cet ingénieur rencontré dans le train, racontant à Daniel, qu'il avait la certitude de ne plus revoir, comment il avait tué un chien-loup en Alaska, que voulez-vous, il avait dû se défendre, ceux qui avaient encouragé ce croisement du loup avec le chien n'auraient pas dû rendre ces bêtes libres, le croisement de l'homme avec l'homme est plus redoutable, dit Daniel, observant la mâchoire de celui qui avait tué le chien-loup, laquelle avait été fracassée d'un coup de poing, eût-on dit, il avait tué de son revolver un chiot qu'il avait élevé pendant six mois, vous auriez préféré que je lui accorde une seconde chance, dit l'ingénieur, les chiens des steppes vont chercher leur nourriture dans les pièges, je l'ai abattu par pitié et, croyez-moi, je n'en ai aucun regret, mais qui était Daniel, un impertinent, un intrus, s'immisçant dans toutes les vies, avec quelle mortifiante répréhension contre lui-même, il pensait à ce voyageur du train, après une conversation terne sur l'exploitation du cuivre, du pétrole dans la zone arctique où Daniel n'avait pas remarqué les oreilles décollées de l'ingénieur ni sa mâchoire tordue, une action ignoble se dessinait avec le récit de la mort du chien-loup, tué à bout portant, de l'homme ordinaire, médiocre surgissait un bousilleur de la nature, pensait Daniel, les cadavres des bébés phoques s'accumulaient sur son passage, avec quelle indifférence il chassait pour leur fourrure ces mammifères marins, dépeuplait sans scrupules les lacs de leurs saumons, crabes, brochets, qui sait si cet homme n'esquintait pas aussi quelques Inuits, Indiens, nous ne sommes sur cette terre que pour moins d'une centaine d'années, avait déclaré Daniel, insociable, ce bébé phoque au pelage ras subissant la percée des balles d'un hélicoptère, le saumon taillé par un barrage ou le chien-loup implorant pour qu'on lui accorde une seconde chance, n'était-ce pas accidentellement qu'il avait mordu son maître, errant depuis plusieurs jours dans la persécution des chasseurs, ces bêtes, dans l'attente de leur sentence, toutes étaient liées à Daniel par son lien au monde, l'ingénieur avait voulu dresser le chien-loup comme ses autres chiens, mais il s'était enfui, et soudain, maintenu à un pieu dans la glace, ses yeux obliques voilés de givre, le chien-loup, subissant une sentence condamnatoire sous ce ciel blanc de l'Arctique où il avait eu le malheur de se mêler aux hommes, s'écroulait dans cette neige rougie de son sang; c'est cette histoire du chien-loup, d'une explosion de flammes traversant sa peau, que Daniel écrivait à la table de travail antique que l'on avait aménagée pour lui, dans sa chambre, en remontant jusqu'aux origines de la vie, pensait Daniel, l'ingénieur des fossiles, ce même homme né grossier et mercantile perpétuant l'extinction des espèces plus fragiles que lui, rébarbatif à toute vie qui ne fût pas la sienne, cet homme ne serait-il pas toujours le même, il en était toujours ainsi, qu'un moineau fût prisonnier, dans les câbles d'une gare, à Madrid, que des oisillons fussent capturés en Bolivie, qu'un chien-loup fût abattu par un ingénieur dans une zone isolée de l'Alaska, Daniel écrivait, l'écran de son ordinateur scintillant dans la nuit de la cellule quand il enten-

dit des voix sous sa fenêtre, de jeunes gens venaient le chercher pour le repas du soir, le seul repas que nous prenons
ensemble, accompagné de vin, lui disaient Mark et Carmen du jardin, où ils fouillaient parmi les brindilles, les
cailloux de leurs pelles et râteaux, qui étaient ces insolites
tourtereaux, nous sommes un couple d'artistes travaillant
toujours ensemble, on nous surnomme les Débris, dans
les galeries de New York où sont exposés nos sculptures,
tableaux, installations; accoudé à la fenêtre, devant un
paysage de mauves collines, au soleil couchant, Daniel
observait ce couple espiègle tout à son labeur de débus-
quer les ruines du sol, débris de verre, lambeaux de chif-
fons, carcasses de petits animaux, ils pelaient, épluchaient
la terre de ses restes, disaient-ils, signaient de leur nom, les
Débris, les rebuts ensevelis par l'abondance, ne confec-
tionnaient-ils pas eux-mêmes leurs vêtements dans des
vêtements que d'autres avaient portés, après les avoir
imprégnés de teintures, renouvelant leurs coupes tour à
tour soignées, débraillées ? Mark était vêtu ce jour-là d'un
maillot de bure, lequel éclipsait son short, la blancheur de
ses jambes courtes, ses chaussures étaient celles d'un alpiniste, Carmen débroussaillait des immondices dans une
robe de bal aux reflets d'ocre, la robe s'entrouvrait sur une
jarretelle fixant ses bas trop longs à son genou rose, ces
affables lutins d'une planète poussiéreuse, pensait Daniel,
avaient élu un art symptomatique qui était peut-être l'un
des derniers signes vitaux d'un monde dont ils pourraient
être demain si dépourvus qu'il semblait urgent d'en
conserver dès maintenant les vestiges, de confisquer ces
vestiges, ces rebuts dans des œuvres cimentées, soudées,
que les galeries vendaient à très fort prix, car ces symp-

tômes, ces signes d'une forme de vie sur la terre qui serait si vite révolue, devenaient aussi précieux que durables, le temps se figeait autour de leurs squelettes de calcaire, pétrifiés par l'ère radioactive, avec leur halo de peur, jumelé dans tous plaisirs, le jeune couple gambadait vers les studios de peinture, de sculpture, parmi les oies, les canards de la ferme, le chien Heidi à ses trousses, c'était la ferme de Carmello et de Grazie, les cuisiniers italiens du monastère, dit Rodrigo, qui marchait au côté de Daniel, ses cheveux fouettaient sa nuque, telle une crinière, c'était un bohème élégant aux ongles noircis d'encre, pensait Daniel, pendant que Rodrigo posait sa main sur son épaule, allons vite au réfectoire, dit Rodrigo, les femmes ont bon appétit, et surtout ces diables, Mark et Carmen, qui après le dîner ne feront qu'un saut par-dessus la grille du monastère pour descendre au village danser toute la nuit, ce qui est interdit aux boursiers, ils auront à exposer leurs travaux dans quelques jours, vous viendrez avec moi dans leur atelier, voyez là-bas ces groupes qui se tiennent à l'écart sous les arbres, ce sont des écrivains à qui le succès a tourné la tête, le Cercle des best-sellers, Rodrigo devint ombrageux soudain, un cénacle à ne pas fréquenter, avec quelle aisance ils discutent de tout pendant que les petites filles de Carmello et de Grazie s'empressent de servir les cocktails, les hors-d'œuvre dans une raideur cérémonieuse à l'ombre des cyprès, ils se réunissent une fois l'an ici, traitant entre eux de l'importance financière de la mauvaise littérature, pourquoi ne les appelle-t-on pas le Club des sans-mémoire, car repus des richesses que leur procurent leurs livres mièvres, ils ont tout oublié d'un siècle, le plus inhumain peut-être depuis le commencement de l'humanité, n'êtes-vous pas trop sévère, dit Daniel, quel auteur ne cherche pas la notoriété? Balzac, Dickens se sont bien réjouis de leur foudroyant succès, ah! dit Rodrigo, quand on décrit comme ils le firent l'exploitation de l'enfance ouvrière, les hideurs sociales de son temps, comment céder ensuite aux sentiments, mêlés de remords, de la gloire? Comment voulez-vous que Dickens eût oublié l'incarcération de ses parents pour dettes, ou son enfance dans une fabrique? Quant à Balzac, que de déboires sentimentaux avec les femmes, de coûteuses liaisons, vous verrez, aucun de ces écrivains ne viendra nous saluer, marchons plus vite, mon ami, ne sont-ils pas ridicules, ces intellectuels sophistiqués que photographient les journalistes avec leurs chiens de poche, un lhasa-apso, un shitzu, vous verrez, ce soir, cette nuit, Boris et Yvan, dont vous apercevez les maigres silhouettes rôdeuses, boiront les verres, fumeront les mégots des cigares et des cigarettes laissés sur les tables par ces richissimes convives, surtout ne rêvez jamais d'appartenir à ce club, dans votre candeur, *amigo,* ne vous reproduisez pas en millions d'exemplaires au goût et à la mode de l'heure, soyez plutôt démodé, désuet et continuez d'écrire avec une lenteur délibérée, Daniel expliqua à Rodrigo qu'il avait à charge plusieurs enfants, ce qui le ralentissait un peu, Rodrigo esquissa un sourire railleur, il ne fallait pas vous marier, dit-il, je suis bien célibataire, moi, puis Rodrigo dit que s'ils devaient marcher si longtemps, c'est qu'on avait construit à l'extérieur du monastère la bibliothèque, le réfectoire, dans des bâtiments à part, afin que les écrivains, les artistes n'aient pas la tentation de sortir pendant le jour, n'est-ce pas un peu spartiate cette rigueur de ne sortir que le soir?

dit Daniel, oui, mais il y a quelques récompenses, *amigo*, dit Rodrigo, je déborde de joie lorsque Rosina entre dans ma chambre à midi, me tendant une gamelle, je lui dis, ô ma Rosina, encore quelques feuilles de salade, dans cette gamelle, quelques nouilles, des haricots rouges ? Tu crois donc qu'un ogre comme moi peut manger si peu et écrire du matin au soir ? Ne le dis pas à tes parents, apporte-moi quelques œufs, du pain, de la ferme, la gamine s'enfuit vers les champs de tournesols, *buon giorno, Rodrigo, buon giorno,* j'ai revu avec Rosina, de mon château moyenâgeux où je peine, l'air du ciel, j'ai respiré le parfum des champs, je n'ai plus qu'à m'asseoir à ma table, tricotant dans tous les sens mon poème que voici, l'ère de Pompéi avant l'éruption du Vésuve, ne serait-ce pas plus harmonieux, *amigo,* l'éruption du Vésuve à l'ère de Pompéi, qu'en pensez-vous ? Distrait, Daniel s'inquiétait qu'il y eût un soupçon de lâcheté à parler de ses enfants à un célibataire, Daniel revit le visage conquérant de Samuel, la physiologie de l'amour, du mariage, que Balzac avait décrite dans ses livres était désormais dépassée par les plans d'urgence, de trépidation d'une ère bouillonnant à l'orée des volcans, si Daniel avait aimé trop tard, Samuel ne semblait avoir été conçu que pour l'amour dès l'aube de son existence, à quoi bon comme le faisait sa grand-mère le réprimander pour cette virilité naissante, la ferveur d'aimer était un don de plus pour ces enfants de la modernité, à qui rien ne semblait pouvoir être refusé, un temps pour l'innocence, l'émerveillement, disait Mère, elle pensait à Vincent, à Mai, encore petits mais dont les corps seraient vite mis en émoi, se plaignait-elle, par une sexualité démente, partout aiguillonnée, à la télévision, au cinéma, Mère emmenait

Mai et Vincent dans ces autobus des safaris, vers ces parcs où des milliers d'hectares d'éden artificiel avaient été aménagés pour eux, paysagistes, architectes, sculpteurs fabuleux avaient comme Dieu confectionné de leurs mains l'Arbre de Vie, la forêt, la jungle, ses animaux survivants, de gigantesques baobabs des savanes, dans ces savanes, ces rivières, s'abreuvait la faune du déracinement, sur ces hectares verdoyaient les plantes les plus rares, que les animaux fussent vrais dans la nature ou sculptés comme l'Arbre de Vie, Augustino, disait sa grand-mère, apprendrait qu'en un légendaire passé le monde avait été beau, en ce temps-là aucune espèce animale n'avait porté le nom d'une espèce disparue, la verdure transplantée dans ce safari africain, sous le soleil de la Floride, serait reconstituée à s'y méprendre, de même que les millions de végétaux récupérés de terres à l'agonie, oui, à s'y méprendre, pour Augustino, Vincent, Mai, qui de leurs sièges surélevés verraient venir à eux l'hippopotame émergeant d'un lac, le lion parmi les gazelles, l'éléphant, le zèbre, la girafe, comme toute cette convalescente nature, expirante puis réanimée, l'éléphant offrirait aux regards d'Augustino sa majestueuse tête que des chasseurs d'ivoire avaient blessée, qu'ils se hâtent tous, pensait Daniel, Augustino, Vincent, Mai, d'admirer le défilé dans la forêt, les savanes, les cours d'eau cristallins de l'éden, les guépards, les lions rugissants, les gorilles, crocodiles, rhinocéros, quelques-uns arrachés au sadisme des zoos, d'autres morts avant la fin de leur captivité en route vers les parcs sauveurs, qu'ils se hâtent, Augustino, Vincent, Mai, d'être éblouis par le paradis indigène réchappé, qu'on leur accordât ces hectares, cette luxuriante cité du monde remis à neuf, royaume d'une sauvagerie belle à s'y méprendre, que cette cité fût réelle, rêvée ou artificiellement vivante. Et Jessica dit à son père, à son instructeur de pilotage, assis près d'elle, ce qu'elle avait dit ce matin à sa mère et à sa jeune sœur, avant de partir, il n'y a rien à craindre puisque je vais toujours piloter, voler dans le ciel, oui, jusqu'à ce que je meure, et les records seront battus, celui de John Kevin, qui avait onze ans lors de sa traversée du pays en cinq jours, quand moi j'en ai sept, et vous verrez tous, maman, papa, ce vol sera surpassé, je parcourrai cinq mille kilomètres en trois jours, et mon nom, comme le nom de John Kevin, sera écrit dans le *Livre des records Guinness,* j'y arriverai; il avait fallu adjoindre au siège rouge trois oreillers afin de faciliter à Jessica la vision des commandes de l'aéronef, des extensions, sous le siège, lui permettaient d'atteindre les pédales de son avion, un Cessna Cardinal entièrement rouge comme l'oiseau huppé du même nom, imprimés dans l'étoffe de sa casquette ces mots en lettres noires, *Women Fly,* la visière grise de la casquette couvrait d'une raie d'ombre les yeux bleu clair de Jessica, ses cheveux d'un blond hâlé que le vent recourbait sur ses joues, contre le col haut de sa veste de cuir noir, maman, papa, ma mission est de toujours piloter un avion, sans fin, jusqu'à ce que je meure, ainsi vole l'oiseau dans le ciel, le rouge cardinal, la colombe, ils volent sans repos, exceptionnellement, cette fois, l'instructeur de pilotage serait l'élève de Jessica, Jessica n'avait accumulé que quarante-huit heures d'exercice de pilotage, avec son instructeur, il craignait que ce fût peu, mais il ne disait rien, cette petite fille avait promis d'être sans défaillance, bientôt huit heures vingt-deux, l'avion décollerait dans une minute, et combien longue serait cette minute pour l'instructeur, Jessica avait avoué n'avoir pas dormi de la nuit précédente, le Cessna Cardinal était l'avion de Jessica, songeait l'instructeur, un modèle réduit, bien que Jessica en eût la maîtrise, quarante-huit heures d'exercice de pilotage, n'était-ce pas trop peu ? Jessica, son père, l'instructeur de pilotage, entendaient ces voix, ces applaudissements autour de l'avion, sur la piste, Jessica avait vu sa mère tenant sa petite sœur dans ses bras, reviens vite, disaient-ils tous, de sa main gantée de cuir noir Jessica avait ébauché un geste, il y a si longtemps que je veux accomplir cet exploit, les seuls mots toutefois que la mère de Jessica eût entendus d'un téléphone mobile n'étaient-ils pas ceux-ci, maman, tu entends, il pleut, est-ce bien la pluie que nous entendons tomber, maman, il ne doit pas pleuvoir, est-ce que tu entends la pluie, maman, ils étaient encore à la base d'aviation, maman, tu entends la pluie ? C'était avant le départ vers la route 30 de l'aéroport de Cheyenne, il n'était peut-être que huit heures vingt ou huit heures vingt et une, sa mère se souvint que Jessica n'avait dormi que deux heures cette nuit-là, afin que l'exploit transcontinental de Jessica fût une réussite comme celle de John Kevin, elle devrait survoler la Californie, ne pas craindre les périls du long vol ni les pluies ni les orages prévus au Wyoming, déjà à huit heures vingt-deux, il y avait trop de pluie, de vent, un pilote expérimenté eût hésité à voler dans ces conditions, Jessica, elle, n'hésiterait pas, elle dirait dans quelques secondes à son instructeur, une minute, et nous décollerons, ce vent, cette pluie, ne me font pas peur, l'instructeur s'était opposé à la volonté de Jessica, lui parlant avec douceur, il ne voulait pas la décevoir, de la Californie au Massachusetts jusqu'à Falmouth, ce sera très épuisant, dit-il, si les orages augmentent, il rappela à Jessica qu'elle n'avait dormi que deux heures, soudain, il parlait plus vite, car passaient une à une les secondes fatales, Jessica, nous sommes en retard, pourquoi ne pas retarder de quelques jours notre départ lorsque se seront dissipés ces vilains orages, je n'ai peur de rien, moi, dit Jessica, il était si près de huit heures vingt-trois, trop tard pour discuter maintenant, Jessica se redressa sur son siège, tenant les commandes de son avion, elle tourna la tête vers son père, immobile, silencieux, Jessica lui dit dans un sourire ravissant qui dévoilait ses dents blanches, merci papa de m'avoir permis de piloter depuis que je suis petite, à notre retour, papa, nous irons voir le président, car qui n'avait pas entendu la voix de Jessica, à la radio, à la télévision, annonçant avec l'assurance d'une adulte le plan de son expédition à Falmouth, à son arrivée vendredi l'accueilleraient ses admirateurs, cinq mille kilomètres en deux jours, Jessica serait fêtée, ils le seraient tous, son père, son instructeur, tous les trois de grands pilotes, Jessica avait piloté un avion pour la première fois, à six ans, le jour de son anniversaire, c'était un cadeau de son père, ce jour-là, à près de huit heures vingt-trois, l'instructeur fit remarquer à Jessica la visibilité défavorable, Jessica avait-elle entendu un grondement de tonnerre? non, dit Jessica, ce n'est que la pluie, je n'entends que la pluie, et cela fait un bruit de plus en plus fort sur l'aluminium de l'avion, le vent, tu entends le vent, dit l'instructeur à Jessica, le tonnerre, tu entends le tonnerre, Jessica, et à huit heures vingt-trois, ils étaient dans le ciel, au-dessus de l'aéroport de Cheyenne, Jessica, son père, l'instructeur de Jessica, ils volaient bas, avec difficulté, dans le vent, l'orage, au-dessus du boulevard Gardenia, de la route du Club d'équitation, ils allaient en direction du nord-ouest, ou s'efforçaient-ils désespérément de flotter dans l'air, luttant contre une traînée de sinistres vents noirs, les détonations vertes, aveuglantes de la foudre, ceux qui les virent partir se regroupèrent à l'aéroport de Cheyenne, ils sont en danger, criait-on, ils font un tour à droite, l'aile gauche de l'avion s'effrite dans le vent, ils sont perdus, tu entends la pluie, il pleut beaucoup, quand donc la mère de Jessica avait-elle entendu ces paroles, mais eux, Jessica, son père, son instructeur furent si vite détruits, avant l'écrasement de l'avion, qu'ils semblaient rendre l'âme sans un soupir, tout à leur atterrissage de fortune, à la catastrophe les jetant dans la nuit, des flammes brûlaient leurs yeux, la soif incendiait leur gorge, et pourtant ces mots, on les entendit, je volerai jusqu'à ce que je meure, tous les trois engloutis dans leur siège, et là où s'écrasa le Cessna Cardinal de Jessica, dans des roulements de ferrailles, il pleuvait dans l'air calciné du Wyoming, sur les corps carbonisés dans leurs trois sièges rouges, pourtant, ces mots, on les entendit, je volerai jusqu'à ce que je meure, tel était le cadeau de Jessica, l'offrande de sa vie à la foudre du ciel, et qu'ils sèchent leurs larmes ceux qui l'aimaient, à cinq ans, elle avait connu l'extase de monter à cheval, de se rendre à bicyclette jusqu'à l'école, dans le froid, la neige, peut-être était-elle venue au monde de l'âme d'une autre femme, d'Amelia Earhart, née d'Amélia, elle avait eu une mère terrestre végétarienne qui ne voulait que le bien de ses enfants, l'extase, le ravissement, Jessica les avait éprouvés pendant cette seconde d'envol, avant le grondement du feu, de la foudre sur ses paupières, *Women Fly,* un peu plus haut, elle avait perpétué la navigation aérienne d'Amelia, et demain, ce serait une autre, car sans quiétude, sans repos, la colombe, le cardinal rouge, le Cessna Cardinal doivent voler, tel Icare, Jessica volant si près du soleil s'abîma en mer, la mère terrestre de Jessica avait dit, que soit bénie mon enfant qui a reçu en naissant la passion, la joie, il semblait réel, pour la mère de Jessica, que Jessica eût connu l'extase de voler si près du soleil, Jessica, son père, l'instructeur de pilotage, tous les trois n'avaient jamais repris conscience, endormis dans les plis de leurs rayons de feu; durant le sombre cérémonial qui avait remplacé les fêtes du retour, les cadeaux abondèrent pour Jessica, endormie sous les ruines de l'avion, de l'oreille du rêveur, qui sait si elle n'entendit pas les chants, les hommages des pilotes solidaires de son pays; de petites filles présentaient leurs jouets, leurs parents, des fleurs, il y avait aussi un ourson en peluche violet qui serait le compagnon de Jessica, et Jessica dit encore, ne pleurez pas, le seul regret de Jessica fut que sa mère, qui n'approuvait pas les jouets dans sa maison, ait refusé l'ourson pour Jessica, pendant la cérémonie de l'adieu, Jessica n'a jamais joué, dit-elle, et Jessica n'eut que ce regret, l'ourson violet qu'elle n'emporterait pas avec elle, son père lui eût permis de garder l'ourson, une dernière photographie, quelques instants avant le vol du Cessna Cardinal, montrait à tous combien ce père et cette fille étaient proches l'un de l'autre, dans la fierté du métier qu'ils avaient choisi, vers les mêmes contrées d'où ils ne reviendraient jamais, c'est ensemble qu'ils avaient partagé sans retour ces noces avec l'air, le feu, si Jessica n'avait jamais eu de jouets, elle avait eu un poulain, des chevaux, elle avait conquis l'ivresse de l'air, au galop, plutôt que d'être consumés tous les trois par ces lumineuses flammes du soleil, Jessica, son père, l'instructeur de pilotage, avaient péri dans le froid d'avril, sous des pluies de glace, de verglas, plutôt que de s'abîmer en mer, la carcasse démantelée de l'avion avait culbuté sur une autoroute de banlieue, dans quelque terrain vague, à son dernier repas à l'aéroport de Cheyenne, Jessica avait supplié Adam, le jeune serveur, de ne pas mettre sur ses frites toute huile qui ne fût pas purement végétale, et Adam avait raconté à Jessica que, s'il était serveur, dans ce restaurant de l'aéroport de Cheyenne, c'était parce qu'il avait l'intention de piloter, lui aussi, ne savait-il pas tout déjà des vols transocéaniques, en bimoteurs, de l'Académie de l'air et de l'espace ? Il servait ses clients en surveillant le départ des DC8, de la pointe d'un patio, lorsqu'il fumait seul, il reconnaissait au bourdonnement des moustiques dans les eaux dormantes l'approche de l'avion-citerne qui les anéantirait de jets d'une brune poussière toxique, ce bourdonnement excédé né de créatures larvaires que l'effroi unifiait en un vagissement ténu exaltait le désir de voler, pour Adam, tout en éveillant son angoisse, se souvenant du regard bleu clair de Jessica, Adam comparait Jessica à l'un de ses lézards qu'il n'eût pas aimé voir détruit, à ces libellules bleutées des jardins tropicaux dont il eût retracé le vol, parmi ces moucherons, ces moustiques qui ne lui semblaient jamais encombrants, Jessica avait mangé ses frites, Adam, ce garçon plus grand qu'elle, l'avait amusée, un jour ce serait peut-être un botaniste avec ses moucherons, ses libellules, peut-être Adam était-il de l'Âge nouveau, comme l'était la mère de Jessica, végétarien lui aussi, bientôt, disait-il, débuteraient ses cours de pilotage, peu de temps après ce final rendez-vous où Jessica, Adam, avaient conversé tels des amis, Adam ne reverrait plus Jessica, fumant seul, la nuit sur le patio de la maison de ses parents, il écouterait le croissant murmure des moustiques, le clapotement de l'eau contre les pilotis, en pensant, le Cessna Cardinal volera ce soir au-dessus de la maison, comment Jessica eût elle pu se séparer de la terre, dans sa veste de cuir noir au col trop haut, sans doute était-elle toujours autour de lui, moucheron bourdonnant à la surface de l'eau, après l'orage, parmi ses papillons, ses libellules, volant jusqu'à ce qu'elle en meure, et si Jessica avait vécu, avait écrit Augustino à son père, nous aurions presque le même âge, Daniel aurait méconnu la bravoure de Jessica, le miracle concret de son existence, aussi inattendu qu'une ellipse dans le voisinage du soleil échappant aussitôt à notre observation, il n'aurait rien su de Jessica si Augustino ne lui avait écrit que Jessica était l'héroïne de son millénaire, ils grandiraient ensemble, Jessica toujours en avance vers d'autres galaxies, on avait vu le tas de ferrailles de l'avion, Jessica, écrivait Augustino, revenait souvent sur cette piste d'atterrissage, quels drames, quelles afflictions ont bien pu se passer là, se demandait-elle, elle se posait plusieurs questions, ainsi, pourquoi ceux qui disaient tant l'aimer lui avaient-ils permis de mourir si tôt ? Augustino écrirait à son père, je t'écris, les mots volent vers toi, mon cher papa, je t'assure que Jessica vit toujours dans nos cœurs, Augustino aimait que les mots fussent vite affichés à l'écran, qu'il n'y eût aucune tache lourde sur le papier, les mots jaillissaient du boîtier d'un ordinateur, tels des trésors d'un coffre, pigeons voyageurs de la pensée d'Augustino, rapportant de loin leurs messages, les livrant le jour, la nuit même, jusqu'à ce monastère en Espagne où Daniel s'était retiré pour écrire, apparaissaient alors à l'écran le nom, le visage de Jessica, inoubliables, frémissants de vie pour Augustino qui avait stocké, mis en mémoire les informations reçues, films, documents, dont cette photographie de Jessica, reproduite sur la couverture d'un magazine, où l'on pouvait voir de près son visage attiré vers quelque Ailleurs venteux et froid, sous la casquette à la visière grise, ces héroïnes du neuf millénaire d'Augustino, celles qui lui succéderaient, tels ces jeunes cosmonautes, astronautes et leurs cargaisons de singes et de chiens, sombrant enflammés dans un espace sans vie, pendant que se mouvaient les astres, eux tous n'avaient-ils pas été broyés trop vite par les dieux de l'air en même temps que par les folies d'une époque insatiable d'innocentes vies ? Daniel lisait les missives de son fils en espérant qu'il ne lui écrirait pas si souvent, soudain, ces lettres d'Augustino à l'écran de l'ordinateur semblaient battre de l'aile comme le moineau prisonnier dans les câbles, à la gare de Madrid, ou comme ce roitelet agitant une aile cassée dans les herbes d'un champ que Daniel avait soigné, pour le voir filer presque intact vers le ciel, Augustino troublait la conscience de son père, cet enfant avait-il reçu tant d'informations, d'images, dans son cerveau, qu'il reflétait déjà le passé dans le miroir candide de ses yeux ? Daniel se souvenait des paroles de Mère à Mélanie pendant un voyage dans les Pyrénées où une communiante avait été fauchée par un car sur l'autoroute, Daniel n'eût-il pas dû dire à Augustino, comme hier Mère à Mélanie, ne te retourne pas, Mélanie, vers ce cortège sur l'autoroute, ne te retourne pas, Augustino, vers ce visage illuminé de Jessica ? Et comment Samuel avait-il pu s'égarer dans cette partie sud de Manhattan, lui qui était déjà en retard à ses cours, que dirait son professeur dont on connaissait la nature irascible, soudain il l'avait vu, pendant un arrêt où Samuel examinait sa voiture, il vit le voyou à la mine ingrate rasant la portière, je peux laver votre voiture ? lui demandait-il, tandis qu'un objet de fer cahotait dans un fichu à pois, c'était avec cet objet de fer, ce marteau que le garçon enfoncerait ses clous dans les pneus de la décapotable, placide à son siège, Samuel avait vu le malfaiteur s'enfuir, sautant habilement jusqu'au trottoir, entre les voitures, au dos de son t-shirt, les mots Honneur, Travail, Dignité se dissolvaient dans l'étoffe molle, échancrée du maillot noir, et lorsque le garçon eut atteint l'autre côté de la rue, à pas de course, ce fut pour s'appuyer en croisant les bras à un lampadaire, l'objet de fer accroché à sa ceinture, son fichu à pois sur la tête, criant à Samuel dans une méchante désinvolture, allez, défends-toi, fils de riches, appelle papa, maman, de ton cellulaire, la prochaine fois, je te…, le garçon fit un geste obscène et disparut à l'ombre des édifices, qui sait s'il n'avait pas une arme, pensa Samuel, Samuel s'empara de son téléphone, en pensant que c'était ainsi que le jeune vandale l'avait décrit, insolent et fier au volant de sa voiture, une luxueuse décapotable, don de ses parents, de même que le téléphone personnel, capitaliste, lui avait crié le garçon, Honneur, Dignité, Travail, quand ce malveillant voyou n'était qu'un voleur, Samuel n'avait-il pas senti le souffle de la haine effleurer sa nuque, bien qu'il ne fût sûr de rien, dans ce tintamarre de voitures klaxonnant derrière lui, ou le dépassant à sa gauche, qu'était-ce une Trans Am ou une Ford Capri, nul ne possédait une voiture aussi esthétique que la sienne, pensait Samuel, ayant déjà repéré un garagiste qui le soulagerait de cette embarrassante situation, qui était donc ce vaurien qui avait osé s'attaquer à sa voiture, l'un de ces prolétaires skinheads, comme les décrivait son père dans son livre, de ceux qui piétinaient les cimetières juifs de Buenos Aires et qui, à New York, n'étaient que des vandales, quelque blanc chômeur oisif, ou ce que son père eût facilement imaginé, un garçon délaissé qui honteusement connaissait la faim en Amérique du Nord, de rudes parents ne pouvant nourrir leur nombreuse famille, non, pensait Samuel, l'enfonceur de clous ne méritait pas la sympathie socialisante de Daniel et de Mélanie qui auraient tout expliqué, une économie florissante, mais en dessous, plaie de cette prospérité, la faim en Amérique du Nord, les banques de nourriture des églises des grandes villes combattant l'avarice des gouvernants, pour alimenter les uns et les autres, les œuvres de charité catholiques approvisionnant des millions de gens chaque année, beaucoup d'enfants volaient parce qu'ils avaient faim, une abomination, aurait dit Mélanie, que les nations les plus riches du monde comptent trois cent trente-trois mille affamés, et parmi eux, surtout des femmes et des enfants, non, pensait Samuel, cette blême figure se dérobant sous son fichu à pois, celle du garçon détalant dans les rues, n'exprimait que de l'agressivité, c'était un garçon déjà enclin au larcin, au crime, Honneur, Travail, Dignité, un farceur à oublier, Samuel songeait qu'à cette heure, chez lui, Marie-Sylvie ou sa grand-mère sortaient les chiens pour leur promenade vers ce bord de la mer que Samuel avait souvent longé en compagnie de ses frères, un perroquet blanc sur l'épaule déployant des ailes au bout orange, pendant que Samuel lui répétait ses souhaits, partir, bientôt partir, était-ce la voix de Samuel, le perroquet roucoulait dans une joie éperdue, frottant son bec d'acier sur le cou de Samuel, contre son collier de fausses perles des nuits de festivités, sensuels, ces instants, achevant des jours d'une lumière sans fin sur l'eau, lorsqu'il était seul sur les plages à écouter le grésillant murmure de son walkman, ou doucement épuisé auprès des femmes par les rougeurs du soleil sur la peau au goût salin, un jeune homme dans sa voiture spacieuse interpella Samuel, il avait les cheveux teints d'un blond fade, hérissés au sommet du crâne, à lui l'aisance de la vitesse dégagée, fonceuse, semblait-il dire, dans son moulant short bleu, le regard muet sous la courbe des lunettes noires aux pétillantes lueurs, dans un sourire narquois à Samuel, il faisait étalage de l'anneau, transperçant l'extrémité de sa langue, comme s'il eût tendu une fleur empoisonnée, pensa Samuel, d'une main carrée il enlaçait une fille qui, comme lui, semblait avoir été coulée dans le même bronze vigoureux d'où l'âme était exclue, car Samuel se mit à redouter qu'il y eût quelque ressemblance entre ce couple et lui, ils avaient le charme dur de ceux à qui jamais rien n'a manqué, qu'attends-tu pour t'en aller d'ici, criait le garçon, Samuel se surprit à les mépriser tous les deux, eux, leur insolence, leurs anneaux, leurs médailles, à l'oreille ou au sein, sous leurs appâts d'affranchis, le monde irait encore plus mal avec eux, sans doute étaient-ils aussi primaires que leurs parents dans la promiscuité de leurs gains, de leur culte de l'argent, Samuel écoutait les insultes du garçon en pensant qu'il savait tout de lui, de la marque de son slip doublant le short bleu jusqu'à celle des préservatifs ultravibratoires dans la poche du short, tout, ne savait-il pas tout de lui, un frère conforme qui n'était pas le sien, une image frauduleuse et grossière de lui-même qu'il ne pouvait entièrement repousser, comme ce garçon, Samuel n'était-il pas un consommateur de produits onéreux, patins à roues alignées ou décapotable de modèle similaire, rien ne réfrénait cette multiplication des désirs, des besoins qu'il partageait avec l'inconnu, voilà sans doute pourquoi ils se méfiaient tant l'un de l'autre, bêtement admiratifs aussi de leurs mutuelles prouesses viriles ; l'asphalte des rues chaudes semblait être en ébullition pendant que s'éloignait le jeune couple indifférent dans un fracas de météorite et qu'une démente au fin visage auréolé de boucles blondes, assise sur le trottoir parmi des monceaux de sacs, avait-on jamais vu une porteuse de sacs aussi enfantine, pensait Samuel, c'était une écolière, déclamait sans les comprendre d'effroyables prédictions, une Bible ouverte sur les genoux qu'elle lisait à l'envers, car elle était analphabète, n'énonçait-elle pas d'une voix calme que Samuel et les siens seraient les fils châtiés d'un millénaire s'acharnant sur la jouissance de veules possessions, Samuel, le couple coulé dans le bronze, que feraient-ils tous lorsque du ciel ouvert descendrait sur leurs têtes la vague de feu, la divagante sorcière ne prêchait que des malheurs aux passants, tout en inspirant aux femmes quelque sollicitude devant ce tableau religieux ou profane représentant une divinité des Temps modernes, la Vierge aux sacs, une enfant de treize ans, peut-être qui, comme Jeanne d'Arc dans son village de Domrémy, entendait les voix de saint Michel, de sainte Catherine, de sainte Marguerite la suppliant de délivrer la France, ces surnaturelles voix qu'entendait l'illettrée avaient été altérées par une succession de véhémences terrestres, épidémies, déluges que pressentait ce cerveau à peine éclos et vite fêlé par un accident soudain, cette enfant avait été touchée par une fougue sainte, pensait Samuel, et brûlerait vive au bûcher, non qu'elle fût condamnée par un tribunal ecclésiastique comme sorcière ou hérétique, mais parce qu'elle voyait le supplice du feu dont brûlait déjà la terre, dans la flambée de ses bombes qui un jour pourrait bien la brûler, se promenant avec ses sacs ficelés ou lisant sa Bible à l'envers, assise sur le trottoir, propre comme si elle eût été lavée par les pluies dans sa jupe plissée, elle attendait la condamnation des hommes autant que celle de Dieu, espérant que cette colère de Dieu saurait engloutir avec elle la ville de New York, allons, rien de tout cela n'est vrai, dit une femme bienveillante, en déposant devant l'itinérante une boisson rafraîchissante que l'enfant but, les yeux fermés, soutenant, dans une phrase incohérente, que jamais ses voix ne l'avaient trompée, et que ferez-vous, ce jour-là, poursuivit la Vierge aux sacs, serez-vous prêts? Un rêve de bonheur inondait son visage pendant qu'elle levait de sa main frêle, jusqu'à ses lèvres tel un flambeau éclairant sa vie obscure, ce coca-cola, le cadeau d'une boisson qui l'unissait encore, par un lien aussi minime qu'un sou trouvé par un pauvre dans le jardin d'un roi, à cette société qui ne savait que faire de ses itinérants, moins encore de ses fous en liberté, Samuel craignit que la jeune fille continuât ses imprécations, mais elle releva vers lui son délicat profil et lui sourit fixement, ce sera, dit-elle, pendant la deuxième semaine de mai ou de juin, sa voix était mécanique, serez-vous prêts, puis elle reprit sa lecture, sa Bible ouverte sur les genoux, je dormirai ce soir sous les étoiles, je serai humble comme le chien qui mendie le pain à son maître, puis s'éteignit la docile voix sans attaches qui eût fait pleurer Samuel, sans doute était-ce vrai, comme le lui disait son père, qu'en ces temps déraisonnables un médecin de garde dans un institut psychiatrique veillait la nuit, anxieux que reviennent sous sa protection ceux que personne ne protégeait plus, ils partaient, lâchés dans les rues, leurs draps en boule sur la poitrine, les automobilistes voyaient se planter devant eux ces épouvantails sans toit ni lieu, pressant le cocon de leurs quelques biens, vieillards, enfants ou toxicomanes, les bras en croix dans la surdité de la foule, ces instables esprits avaient été déroutés par de récents oracles qui avaient fait de la fin des temps leur commerce, le médecin de garde, attentif à l'histoire de chacun de ses malades, pensait que le mal était sans remède et sans issue, obsédés par ce paroxysme de la fin du monde qui remuait en eux l'intensité du néant d'une vie à peine vécue, ces déments outrepassaient les exigences de l'hygiène quotidienne en tournant les clefs de tous les robinets à eaux des appartements, des édifices, l'eau diluvienne, débordant de tous les éviers, de toutes les cuvettes murales, se propageant partout, finirait bien par épurer la terre et recréerait la vie, d'autres ressentaient dans leur chair l'éruption d'une planète en sursis rongée par tous les cancers, une femme, un homme, encore très jeunes, avec le glissement de la fermeture éclair d'un vêtement, croyaient voir exploser sous leurs yeux la grappe de leurs entrailles et de leurs organes gangrenés, pourquoi fallait-il que la camisole de force maîtrise des déments aussi simples, pensait le praticien chercheur, dans sa blouse blanche, quand ils n'étaient que les victimes des prophètes de la cupidité, et rentrant plus tard au foyer, voyant peu sa femme et ses enfants, le médecin de garde se tarissait en longues veilles, susceptible, n'en était-il pas lui-même conscient, de contracter l'impalpable virus de ces désordres qu'il soignait avec assiduité, amateur d'art, il avait emmené ses enfants à une exposition des œuvres de De Chirico, longtemps ne lui avait-il pas paru que le grand peintre surréaliste avait été incompris parce que ressortait de ses tableaux un courant de folie persuasive, grandiloquente, révélant les pressentiments les plus puissants de l'homme actuel, ainsi ces *Chevaux* de De Chirico, aux portes de l'enfer sur une plaine rouge sans habitants, demeurent la ferme vidée de ses animaux, un abreuvoir où coule, parcimonieux, un filet d'eau ; il était clair, pour le médecin de garde, que ces étalons aux narines enflées, renâclant l'air d'un ciel roussi où circulaient encore quelques nuages turquoise, que ces chevaux, aux crinières, aux queues flamboyantes, piaffant sur la terre rocailleuse et sans fruits, avaient été peints par une main folle, afin que l'on vît dans ce torrent de feu des crinières des bêtes, dans le raidissement craintif de leur posture, un paysage de la destruction qui n'était pas métaphysique comme on l'avait longtemps prétendu, mais bien réel ; le médecin de garde ferait part à ses collègues de cette découverte, il lui arrivait à l'aube, pendant qu'il attendait le retour de ses patients, celui-ci n'était-il pas parti avec les draps de l'Institut, cet autre, une seringue perçant ses veines de part en part, quand donc seraient-ils de retour, il lui arrivait de voir ces chevaux, ces royaux étalons alourdis parmi les ruines, sous ce ciel de l'aube aux teintes rousses, embrasées du tableau de De Chirico, ils étaient bien là, au seuil de l'Institut, comme aux portes de l'enfer ; et dans le contentement d'entendre vibrer le moteur de sa voiture,

Samuel dit à la Vierge aux sacs, celle qu'il appelait ainsi, assise sur le trottoir, sa Bible sur les genoux, dans sa jupe plissée, ce que tu racontes, petite fille insensée, je n'en crois rien, tu sais, car doux, sensuels, sont mes souvenirs, vivement un jour le retour vers l'eau, la navigation à voile, les baignades au soleil, l'amour, dommage que Samuel eût ce rendez-vous à quatre heures où il serait en retard, ce que son père lui eût reproché, l'amour, chantonnait la tranquille démente, voyez l'amour à travers les yeux d'un enfant et entendez le chant des anges dans le ciel, mensonges, que de mensonges, dit Samuel, pendant que s'estompait dans l'air aux stridentes rumeurs la voix de la prédicatrice. Ces passagers du vol 491, pensait Renata, étaient tous si jeunes, si turbulents, quel soulagement qu'elle descendît à la première escale à New York, eux allaient jusqu'au Honduras, leur destination, ces filles qui courent dans les couloirs sont mes camarades de classe, avait dit une enfant à Renata, c'est la classe de français, nos parents nous attendent tous au Honduras, c'était cette classe dont l'excellence scolaire avait été récompensée par des séjours d'études à l'étranger, les élèves du Club des langues, de futurs linguistes, peut-être, c'étaient tous ces enfants pourtant qui avaient étourdi de leurs expressifs chuchotements Renata qui avait choisi d'être près d'eux plutôt que d'accompagner son mari en première classe, tout ce confort superflu qui semblait justement acquis à Claude ne constituait-il pas pour elle un acte d'arrogante provocation, et soudain elle était près d'eux tous, élèves en uniformes, leurs institutrices et chaperons, en un espace restreint où l'envahissaient tous leurs gestes, il lui semblait que leurs mains distraitement affectueuses touchaient sa tête penchée, ses cheveux, pendant qu'elle s'irritait en relisant sa communication pour le débat du lendemain à l'assemblée des juges contre la peine capitale, rien toutefois ne pouvait être atténué dans le texte, tant le contenu protestataire était essentiel, elle ne pourrait que l'amplifier par la conviction de ses idées, l'incertaine éloquence d'une voix trop grave, ou trop rauque, elle éprouvait des accès de désespoir à l'idée que les exécutions eussent désormais lieu le soir, par quelle dureté pénale prolonger cette attente jusqu'à la nuit, ou jusqu'à ces heures précédant la nuit où chacun pense à la détente devant un repas partagé après le travail, aspire au repos auprès d'un être cher, au sommeil dans un lit, la dimension perverse de cette dureté n'était-elle pas insoutenable, pensait-elle, et montaient vers les prisons californiennes les prières des vigiles, des innombrables opposants, ces vigiles qui eussent dû précéder les fêtes pascales mais qui précédaient des jours de tourments, jusqu'à la nuit, le secret des crimes ignominieux, ces exécutions le soir se répéteraient dans les chaînons de l'habitude ; les routes étaient barrées le dimanche par les voitures des familles allant visiter leurs condamnés en rémission, de l'autre côté du mur de la mort, une seule parole d'un ministre, d'un sénateur retraité eût transformé le destin de ces hommes, mais cette parole de compassion ne serait pas prononcée, et ces familles pour qui rétrécissait chaque jour l'espérance rapporteraient le dimanche victuailles et cigarettes à leurs prisonniers, il eût mieux valu pour ces prisonniers à qui aucune grâce ne serait accordée d'être en phase terminale d'une maladie plutôt que d'avoir à subir ces tortures de l'attente, certes les tortures les plus raffinées depuis le temps de l'Inquisition, c'était là le texte que relisait Renata pendant que jouait autour d'elle la bande d'écoliers vivaces, spontanés, à qui demain serait le monde, mais qu'ils étaient babillards, tenant à peine assis sur leurs sièges, dans la cabine de l'avion, quel sentiment d'impatience n'éprouvait-elle pas auprès de ces êtres câlins qui la traitaient avec une familiarité qu'elle méritait si peu, pensait-elle, câlines, tendres étaient ces fillettes, vêtues de taffetas rose, à ses côtés, elles venaient d'un autre groupe, parlaient beaucoup, tout en refoulant Renata contre le hublot, encore loin la mer des Antilles, disaient-elles, le golfe du Honduras, vastes les montagnes, les forêts, les plantations de bananes, de café, Renata remarqua qu'elles étaient chaussées de souliers pointus, de chaussettes blanches ornées de motifs d'animaux, quelle main coquette, celle d'une mère, avait enduit de cire leurs chaussures, les avait coiffées, on eût dit de petites danseuses exhibant des cartons enrubannés leurs cadeaux, poupées, bracelets reçus d'un oncle, d'une marraine, j'arriverai avant vous, dit Renata, je n'entendrai donc pas votre récit du long voyage, nous nous reverrons dans mon pays, dit l'aînée des fillettes, et que ferez-vous plus tard? demanda Renata, nous aurons beaucoup de bébés comme notre maman, dit l'aînée, alertée que l'avion se mît à bouger soudain, c'est que nous descendons, dit Renata, voyez ces gros nuages, Renata les avait rassurées, câlines, confiantes, les fillettes s'étaient blotties contre l'épaule de Renata, mais elle ne dominait pas son penchant à l'irritation, devenait hargneuse lorsqu'elle pensait à la convocation du lendemain, à l'assemblée des juges, avec quelle colère contre elle-même elle s'était reproché plus tard, à l'aérogare, sa froideur, son absence de gentillesse et de tact, quand ces jeunes êtres animés d'une vie si intense l'avaient divertie de son humeur, implacable humeur dont elle n'avait pas même eu honte ; quelles injustices grandioses, quels drames fallait-il donc pour qu'elle fût solidaire de ceux qui ne lui ressemblaient pas, quand ils étaient, qu'elle le voulût ou non, des siens, de sa propre famille, c'est Claude qui lui avait annoncé la nouvelle, à minuit, dans leur chambre d'hôtel de New York, on n'avait même pas eu le temps de songer à la convocation du lendemain, à la fin du même jour de cette traversée en avion, vers le Honduras, comme pour ceux qu'on exécutait à minuit, après leur avoir proposé un dernier repas, ces enfants n'avaient pu aller au-delà de cette montagne du Honduras qu'avait désignée la fillette dans un livre aux images colorées, vois-tu, c'est là-bas que nous allons, ma sœur et moi, il ne suffisait pourtant que de quelques kilomètres et elles auraient été auprès de leurs parents, comment s'étaient-ils ainsi tous fourvoyés, ces innocents passagers, dans le terrain fangeux d'une jungle, si près du lieu d'arrivée ? Il y avait bien un responsable qui avait pillé ces vies, épargnant dans un ballet d'enfants tous parfaitement structurés pour la danse de la vie des magistrats médiocres, plusieurs d'entre eux, symboles de la corrosion du monde, qu'une conférence immobiliserait à New York, pensait Renata, et son mari lui dirait de se calmer, nul n'était responsable sinon le hasard, aucun commandant de bord à son devoir, aucun mécanicien navigant qui n'avait rien senti venir, avait-on vu les marques au seuil de la piste, par cette nuit de brume, était-ce quelque défaut imprévisible, le radar météorologique fonctionnait-il, quelque défaut dans le fuselage, on ne pouvait en réalité accuser personne, disait Claude, il fallait plutôt admirer les officiers de secours, ceux qui avaient déchiré la terre de leurs bulldozers, sous l'eau fangeuse où surnageaient les alligators, ou bien fallait-il accuser celui qui avait omis d'établir le contact avant que ne commençât toute cette morgue dans le fumier des eaux, un pilote, le hasard ou Dieu ? Était-ce vraisemblable, pensait Renata, que du naufrage de tant de vies, à part une réserve indienne dans la montagne, qu'eux seuls, ces quelques magistrats, eussent été épargnés, mais que cherchait-elle à comprendre, lui dit son mari, il n'y avait aucune vraisemblance dans le malheur qui éliminait indistinctement les moineaux du ciel de la Chine, pendant une révolution, une horde de cerfs lors d'une chasse de fin d'automne, ou par une nuit de brume, tous les passagers du vol 491 vers le Honduras, et parmi eux, ces élèves de la classe de français que Renata avait tenus si près d'elle, tels des boutons de roses ou des œillets blancs cultivés pour leur beauté, leur délicatesse, ainsi ces fillettes dans leurs robes de taffetas, le désordre de la calamité les avait tous éparpillés, ces œillets, ces boutons de roses, sans prévenance, sans pitié, et Renata longtemps serait vivante quand eux tous déjà n'auraient plus même l'apparence de la vie, des moineaux, des cerfs, dont la candeur avait été trompée, et écrivait le moine Asoka à Ari, j'ai quarante ans aujourd'hui, je ne sais combien de temps j'habiterai ce corps, vingt ans peut-être ou davantage, mais je vous remercie tous du bonheur que vous me donnez, et toi, plus que les autres bienfaiteurs, Ari, toi qui édites dans ton île notre journal, *L'Évolution de la conscience,* dont la pensée philosophique me suit partout où je vais dans le monde, il y a maintenant vingt-sept ans que je suis moine, c'est la dix-septième année de ma vie de pèlerin, le monde est-il moins belliqueux parce que nous voulons le réhabiliter dans la paix? À mon retour de Russie, mes parents cherchaient à me joindre depuis quelques jours déjà, en téléphonant à un ami, à l'aéroport, j'ai appris le décès de mes deux jeunes sœurs, en juin, tu le sais, j'étais depuis longtemps sur les routes, souvent logé inconfortablement, si bien que j'ai appris la nouvelle très tard; Matupali, l'unique sœur qui me reste, est inconsolable, je lui ai écrit de ne pas être triste, car l'heure était peut-être venue pour mes sœurs de nous quitter, nourries de notre enseignement spirituel, mes sœurs ne savaient-elles pas que le corps n'abrite qu'une vie éphémère; une fondation de Londres m'offre ce toit, cette maison d'où je t'écris, mon cher Ari, pendant quelques mois je pourrai donc poursuivre mon enseignement auprès de ceux qui désirent un monde meilleur et qui viennent de toutes les nations, ethnies, professions, afin d'entendre un message d'espoir. Je ne puis en même temps chasser ce nuage au-dessus de ma tête, cette certitude que je ne reverrai plus mes sœurs en cette vie qui m'a été donnée, et pour combien de temps, dix, vingt ans? Que puis-je faire d'autre que de leur souhaiter une sereine traversée, mais ce devoir de mourir, et surtout de voir mourir ceux que nous aimons, est peut-être ce qui est le plus inexorablement exigé de nous, Ari, et en ce jour de ma quarantième année, il me semble avoir vécu plusieurs vies en une seule; en Mongolie j'ai eu beaucoup de chagrin en visitant les orphelinats, bien que les moines vénérables de Tou Aimag m'aient si chaleureusement accueilli au cours d'une réception traditionnelle de chants et de prières, comment oublier les visages de tous ces orphelins qui ont souvent perdu leur père, leur mère, les plus grands ont dansé pour moi dans leurs costumes à Oulan Bator, se rassemblant ensuite pour être bénis, quel courage ils ont, combien ils sont gracieux aussi de sourire, eux qui furent les premières victimes des atrocités de la guerre, je ne puis les oublier, ne sont-ils pas les enfants que je n'aurai jamais ? Un jour, Ari, lorsque tu seras père, veille bien sur ces petits qu'il faut beaucoup aimer dès qu'ils naissent, récemment aussi mon enseignement m'a mené dans les jungles de la vallée d'Oya, tu sais qu'au-delà de ce point tout devient dangereux ; un vent sinistre, qui souffle des deux côtés de la route, s'infiltre avec la peur dans les arbres, depuis dix ans surgissent dans la vallée les terroristes qui ont déjà tué des centaines de civils, partout ils répandent la terreur, ils sont armés jusqu'aux dents ; pendant que l'on vérifiait mon identité, un soldat me dit que je devrais attendre avant de franchir la route, car cette route était minée, tu me diras, Ari, qu'un moine ne doit pas franchir ces jungles, mais c'est en allant seul dans le bunker des soldats, bien qu'au début ces soldats aient tous pointé vers moi leurs fusils, que je découvris l'existence de l'amour, le bunker avait été construit autour d'un arbre en fleur, on eût dit les orchidacées du village de mon enfance et leur parfum de vanille, j'avais observé avec mes jumelles la marche accablée des soldats dans les champs, le visage opaque, peints en noir sous leurs casques couverts de branches, ces hommes étaient sur le point d'attaquer, dans leur fatigue, je vins dans leur réduit fortifié où je vis l'amas de leurs munitions, sacs de sable, mitraillettes, sachant combien ils pouvaient tous être pernicieux, mais l'un d'entre eux se distinguait des autres, c'était un jeune homme qui avait adopté un bébé singe de quelques

semaines, sa bonté était si contagieuse que les autres soldats apportèrent un biberon, comme pour l'allaitement
d'un nouveau-né, quel contraste de douceur, mon cher
Ari, dans ce bunker autour de ce bébé singe, quand ces
mêmes hommes, une heure plus tôt, avaient tout détruit
haineusement autour d'eux; les soldats me demandèrent
pourquoi j'errais ainsi, je leur expliquai que soixante étudiants m'attendaient dans leur école, ces écoliers marchaient chaque jour plusieurs kilomètres pour se rendre à
cette école, il n'y avait là-bas aucun confort de base, les soldats me dirent que cette route vers l'école était minée, l'instituteur, les élèves n'étaient peut-être plus vivants, je
m'obstinai quand même à emprunter cette route, comment n'avais-je pu prévoir, mon cher Ari, que le nord du
Sri Lanka, mon pays, serait presque ravagé? J'arrivai au Sri
Lanka un soir de mars, je voulais ouvrir un Centre d'éducation à Colombo, mais j'allais soulager des besoins plus
urgents, lorsque le vénérable Dhammasiri et d'autres
moines vinrent à ma rencontre, des files de camions passè-
rent devant nous avec leurs morts, femmes, hommes,
enfants, pouvais-je encore croire que j'étais dans mon
pays, dans mon village? Mon ami, le vénérable Dhammasiri, me dit, je n'aime pas m'inquiéter à votre sujet et je fus
consterné par votre voyage dans la vallée d'Oya, l'école que
vous aviez l'intention de visiter n'est plus, elle fut brûlée,
quant aux écoliers, à l'instituteur, nous n'en savons rien, il
serait plus sage maintenant que vous reveniez avec moi à
Anurâdhâpura et que vous vous reposiez au temple pendant quelques jours, cela nous prit plus de cinq heures
avant d'atteindre Anurâdhâpura, lorsque nous fûmes au
temple, il faisait une chaleur insupportable, nous étions

piqués par une nuée de moustiques, mais lorsque je pus m'arrêter devant un étang où coassaient des grenouilles, moi qui ai peu connu mes sœurs, je crus les entendre rire comme dans un rêve, je me souvins que déjà, à seize ans, j'étais séparé de ma famille, c'est l'âge où j'ai commencé mes études de moine novice, et pourtant les doux souvenirs de mes sœurs égayaient soudain ma mémoire, devant cet étang. Après la douche, avec l'eau du puits, je relevai la moustiquaire autour de mon lit, mais j'étais de nouveau en sueur et ne pouvais m'endormir, songeant à tous ces morts transportés le jour même dans des camions du nord-est du Sri Lanka, quelle détresse éprouveraient ces familles lorsque leurs morts leur seraient remis; vers quatre heures trente, j'entendis les oiseaux du matin et les coqs, en buvant un peu de thé, je revis l'école qu'on avait brûlée et ses fantomatiques murs de brique. Où va toute cette violence, mon cher Ari, les hommes sont-ils des barbares? Je te répète qu'il faut pratiquer le *ajjhatta santi,* un idéal d'harmonie n'entre pas en conflit avec la réalité souvent pénible, tu dois méditer dans le calme, Ari, dénouer en toi ces tensions, mon ami, qui sont les tiennes, tu crois en la satisfaction de tous tes plaisirs, dis-tu, mais cette satisfaction ne t'éloigne-t-elle pas de la méditation matinale? T'ai-je dit qu'à Moscou on m'a offert un manteau, je ne porte jamais de manteau, mais j'ai été ému de recevoir celui-ci qui était très chaud, tu le constates, mon cher Ari, les hommes sont aussi capables de bonté. Ari recueillait à l'écran de son ordinateur les lumineux signaux de son courrier de la nuit, il pensait, en lisant ces mots que lui avait écrits Asoka, d'une autre sphère du globe, à la lourdeur égotiste de ses désirs qui longtemps l'empêcheraient de pratiquer la méditation comme son ami, autrefois déjà, à dix-huit ans, le moine novice allait au lever du soleil, un vase à la main, sous les plis de son sobre vêtement orange, mendier sa nourriture auprès des villageois, dans la quête de l'humilité, quand Ari, par ces mêmes aubes qui seraient toujours chastes pour Asoka, serait exubérant, sensuel avec les filles, sur un voilier parti à l'aventure, une cargaison de haschisch et de cannabis rouge sous ses planches, à quoi bon expliquer à Asoka ces débordements d'une jeunesse vorace de tous les plaisirs, le garçon n'avait jamais connu l'amour des femmes ni le plaisir, pensait Ari, voie de priva- tion qui eût été une offense à la nature volage d'Ari, mais Asoka était compréhensif, recommandant encore à Ari la méditation, ce silence d'une tranquillité mentale qui ne tarderait pas à venir, il l'avait béni de sa tendre bénédiction, comme pendant son apprentissage de la mendicité il avait béni les villageois, Asoka, pensait Ari, le retenait, sous sa divine protection, loin de ces abîmes dans lesquels se délectait Ari, les femmes, les dérivés du chanvre indien dont Ari s'inspirait parfois pour son art, drogue d'une insuffisante toxicité dont la consommation serait bientôt dépénalisée, disait Ari à Asoka, rien de plus apaisant qu'une pensée positive, sans artifices, écrivait Asoka, quand Ari était sans cesse soulevé par des instabilités de caractère, les artistes ne sont-ils pas tous ainsi, disait-il, toxiques envers eux-mêmes, dans leur art, oh, ce stress sui- cidaire des uns et des autres, l'atteinte dans leurs travaux aux fonctions de l'espoir, l'usage du cannabis rouge n'avait pas entraîné de désordre psychique chez Ari, seulement une découverte plus visuelle des formes, dans ses sculp- tures, qu'elles fussent en marbre noir, aluminium peint, néon, l'auteur d'une œuvre gravée, sculptée, ne pouvait-il lui aussi s'imposer, agir, dans le défi de ses pensées, par ses créations dans les parcs, disait Ari, le *Manifeste du surréalisme* n'avait-il pas dérangé l'ordre établi, ces manifestes étaient fréquents aujourd'hui, lesquels incluaient des sculpteurs, tel Ari, érigeant sur des pierres de calcite leurs messages en lettres d'acier, Justice, Paix, quand d'autres exprimaient ailleurs leur lutte contre l'apartheid mondial, l'artiste avait des pouvoirs excessifs même si on le tenait à l'écart, brûlant ses yeux, ses mains au granit noir qu'il découpait au brûleur à pierre, la rage fermentait dans le cœur d'Ari, qu'il eût été réconfortant parfois de sentir la main du moine Asoka se poser sur sa tête aux incontrôlables désirs, mais Ari voyait à peine l'éternel pèlerin, bien qu'il fût l'éditeur du journal d'Asoka et qu'ils fussent sans cesse en train de s'écrire, était-ce vrai, pensait Ari, se sentant charnellement incarné pour une longue période, que le corps abritât une vie si éphémère, peut-être dix, vingt ans de plus, comme le disait Asoka, et comment le moine pouvait-il se résigner dans une aussi neutre froideur à la mort de ses deux jeunes sœurs, quand Ari n'avait même jamais su qu'Asoka avait une famille, fallait-il, parce qu'on accédait à la perfection, négliger un ami au point de ne pas se confier à lui, mais Asoka, cet homme exemplaire, avait un défaut, songeait Ari, il ne pensait jamais assez à lui-même, il eût voyagé en Russie sans manteau, lui déjà si dénué de tout, était-ce dans l'ordre de la perfection d'agir ainsi ? Quelles que soient les expériences de la vie, écrivait Asoka à Ari, n'oublie pas que chacune d'elles est un trésor, chaque instant de notre vie est à vivre avec ferveur, cette fois, Asoka avait humblement accepté le manteau d'un disciple russe, mais combien d'heures avait-il marché pieds nus dans ses sandales parmi les sentiers de neige sans oser quémander des bottes à ce même disciple, et le bunker des soldats qu'avait visité Asoka, n'était-ce pas hier le Vietnam d'Ari, avec son école, ses écoliers, leur instituteur, disparus dans la fumée, ce bunker avait été construit autour d'un arbre en fleur, était-ce là tout ce que le moine Asoka dût conserver d'une si sombre tragédie ? Mon corps est mon appui le plus solide, pensait Ari, ceux qui avaient méprisé la réalité de leurs corps étendaient leurs ombres funèbres sur les collines de Rancho Santa Fe, au bord de l'océan, ils avaient été les membres d'une secte appelée la Loi des Élus et par un tiède après-midi de mars s'étaient tous dépouillés, les uns après les autres, par rang hiérarchique, les chefs les derniers, de ce qui n'était plus pour eux, comme leur avaient inculqué leurs maîtres, que leurs véhicules, leurs enveloppes, ainsi dénommaient leurs corps les leaders de la Loi des Élus qui les avaient tous pliés, les aînés les premiers, à l'abstinence sexuelle, puis à la castration, car ces corps, ces véhicules, ces enveloppes étaient vivement à rejeter avant le départ, le Voyage, lorsqu'ils ne seraient tous qu'une masse de cadavres, la tête enfouie dans des sacs de plastique noir et que passerait tout près de la Terre la comète Hale-Bopp suivie d'un navire spatial dans lequel graviraient les Élus, les corps véhicules, les enveloppes, les objets sans signification dans lesquels stagnait un mélange fatal de barbituriques, de phénobarbital et d'alcool, seraient transcendés dans ce voyage vers l'Ailleurs solaire où s'ouvriraient les portes du ciel, transcendés, métamorphosés, ces corps dont ils s'étaient tous évadés ; il faudrait les transporter dans des camions réfrigérés, à cause de la forte chaleur, eux qui avaient reposé sans vie dans sept jolies chambres face à l'océan, leur villa côtoyant les demeures des millionnaires, qui eût cru que des lieux aussi préservés fussent soudain le tombeau d'un culte de l'Apocalypse, tout autour, on se baignait encore dans les piscines, on jouait au tennis, car aucune plainte n'avait été entendue, le propriétaire de la villa avait observé l'austérité de la maison sans meubles, le nombre d'ordinateurs, le format géant d'une télévision au milieu d'une salle de jeux, ces gens étudiaient beaucoup, ils étaient mystérieux, ils avaient dessiné à l'ordinateur le portrait du dieu extraterrestre qu'ils vénéraient, Celui qui les attendait tous, telle une étoile distante dans l'astral royaume ; ces adeptes d'un culte mortel n'étaient pas plus crédules que d'autres, pensait Ari, mais ils avaient perdu l'appui, l'assistance de leur corps en le mutilant par l'abstinence, la castration, dans le silence, l'apathie de leur soumission à leur chef, ils avaient cédé avec la destruction du corps à l'étranglement de leur esprit, aucun, même parmi les plus brillants d'entre eux, n'avait eu assez de santé ni de sens critique pour scruter les yeux égarés du fanatique qui les écraserait de sa satanique domination, l'anesthésie du corps était le but de ces diverses sectes, pensait Ari, qui voyait ce défilé des jeunes morts de la Loi des Élus, entrant ingénus dans l'éternité, que de regrets pour leurs corps à tous aliénés à la confuse utopie d'un dément, depuis sa morne éternité chacun de ces morts reverrait la chambre ensoleillée au bord du Pacifique, il se souviendrait de son agonie, la bouche, la gorge étouffées dans un sac, l'estomac digérant avec aigreur l'alcool, le phénobarbital, à jamais perdu ce pitoyable corps, une telle horreur était inimaginable pour Ari, qui contemplait la solidité de sa main, de son bras, que le travail avait burinés, toujours, pensait-il, son corps serait là, énergique, puissant, cette main ne cesserait de sculpter, comment eût-il pu vivre sans le soutien de ce corps impétueux ? La générosité de la vie, pensait Jean-Mathieu, qui marchait, appuyé sur sa canne, vers la maison de Caroline, maison discrètement ensevelie sous une couronne de palmiers, c'était cette lumière qui, chaque jour, se déversait pour nous du ciel, ingrats que nous sommes, nous ne savons plus la voir, et voici l'impénétrable seuil de la maison de Caroline, depuis quelque temps, et sa rigide boîte aux lettres sous le bouquet de lauriers-roses, que cette femme a du goût, toujours un climat d'élégance autour d'elle, Caroline remarquerait-elle, et soudain Jean-Mathieu était très inquiet, l'écriture calligraphiée trop inclinée vers la droite, ou s'exclamerait-elle comme autrefois, que cet homme écrit bien, ne dirait-on pas une calligraphie chinoise, dans un tableau, oui, mais elle pourrait bien remarquer ce tremblement de la main, l'écriture inclinée soudain, que dirait-elle à sa dame de compagnie, en riant, que ce tremblement est l'un des signes de la vieillesse, ou elle se tairait, rougissant d'une turpitude malvenue, comment répondrait-elle à cette invitation de Jean-Mathieu, ma chère amie, à quelques heures de mon départ vers l'été vénitien, j'aimerais bien dîner avec vous ce soir, j'attends votre réponse avec empressement, toute exagération lui semblait si gauche, allons, dirait-elle, moqueuse, mon cher ami, n'avons-nous pas toute la vie pour nous voir, Jean-Mathieu ne sonnerait pas chez elle, il ne ferait que déposer la lettre puis s'en irait, vous vous souvenez comme moi des beautés de la campagne vénitienne, mon amie, ne les avons-nous pas louées ensemble, avait-il écrit, quand donc, eût-elle demandé, y étions-nous ensemble, nous devions être bien jeunes en ce temps-là, je ne vais en Italie désormais que pour mes cures, voyez combien mon visage s'est raffermi, il faut détourner de nous la vieillesse par tous les moyens, mon ami, je préfère aux étendues des vignobles les terrasses où l'on discute et fait la fête toute la nuit, et à l'architecture des jardins, mon modeste hôtel que borde le canal, dirait Jean-Mathieu, à ces terrasses, j'ai souvent écrit mes livres, il faut éviter le relâchement des tissus de la peau, répliquerait Caroline, serait-ce ainsi, ce dialogue entre eux, pensait Jean-Mathieu, glissant sa lettre dans la boîte aux lettres, à quoi ressembleront ces jours qui nous restent, à tous les deux, qu'ils étaient subversifs, ces pressentiments qui diminuaient notre joie, nous indiquant la route vers le plus noir abandon, la trahison des autres, leur oubli, se disait Jean-Mathieu, si près du chant de la mer qu'il en entendait tous les bruits, le déferlement des vagues, à quelques rues de la maison de Caroline, cet habituel chant de l'eau ne le réconfortait-il pas, tintant la nuit et le jour à ses tempes, il n'eût pu vivre sans cette incantation des vagues à sa porte, sous ses fenêtres, sans la mer qui prêtait à sa vie un perpétuel air de voyage, l'élan de départs imminents dans ces paquebots qu'il avait connus autrefois, il rendrait visite à Frédéric, tenterait en vain de le tirer de son lit, et Charles claustré si loin en Inde, dans cet égoïsme de l'écriture, si Edouardo et Juan n'eussent pas été là, on eût craint le pire pour Frédéric, et il est vrai que Caroline avait toujours apprécié ces établissements de luxe pour leurs piscines, devaient-ils tous les deux en vieillissant ne s'entretenir que de leurs affections rhumatismales,

de l'arthrite plutôt que de Jane Austen et des contemporains de Raphaël, et Caroline demandait à Charly si elle
avait cru entendre les pas du facteur et la clochette du por-
tail, non, rien, vous n'avez rien reçu, dit Charly, je ne comprends pas que Jean-Mathieu ne m'ait ni téléphoné ni
écrit, dit Caroline, du canapé satiné où elle classait des
photographies dans un album, si vous voulez, je vous
conduirai en voiture chez lui ce soir, dit Charly, mais ce
soir, il sera déjà parti, dit Caroline, serait-il devenu indifférent, pensait Caroline, sa fierté en était ombragée, cela
arrive avec les hommes, à l'heure où passait le facteur,
Caroline était souvent dans la chambre close de son labo-
ratoire d'où elle ne pouvait rien entendre, ce qui m'étonne
aussi, dit Caroline, c'est que Jean-Mathieu ne me téléphone plus, je vous y conduirai ce soir, dit Charly, un singulier sourire tendait ses lèvres charnues, quelle char-
mante enfant, pensait Caroline, un peu de sang noir mais
la peau est d'un brun doré, non, on ne le croirait jamais si
elle ne tenait tant à vous le dire, Caroline exigeait d'une
voix polie que Charly rangeât les photographies de l'album, et qu'ai-je donc fait, le sais-tu, Charly, de cette photographie de Charles et de Frédéric en Grèce, les rossi-
gnols, les coquelicots de ce pays, ils vivaient alors en
harmonie, écrivant et peignant tout le jour, vous avez sans
doute oublié où vous avez rangé cette photographie, dit
Charly, comment le saurais-je à votre place, bien que moi
je ne souffre d'aucune perte de mémoire, ne sois pas insolente, dit Caroline sèchement, je trouverai bien cette photographie, m'accuser de perdre la mémoire, pensait Caroline, c'est trop de familiarité pour une domestique, si on
pouvait définir Charlotte comme étant une domestique,

c'était une dame de compagnie distrayante et drôle, insolente bien sûr, comme tous les jeunes gens de son âge, le
chauffeur privé de Caroline, renoncer à sa voiture avait
déjà beaucoup coûté à Caroline, Charly conduisait la Mer-
cedes à merveille, mais trop vite, il faudrait lui rappeler que
cette voiture ne lui appartenait pas, pensait Caroline, cette
fille n'était pas domptée, Caroline finirait bien par la sou-
mettre à son autorité, les domestiques, dans la maison de
ses parents, jadis, savaient obéir à leurs maîtres, l'histoire
de Charly était-elle véridique, sincère, l'enfance en
Jamaïque, un père américain, retiré dans les Antilles après
une carrière militaire, que l'histoire de Charly fût véridique ou non, ce qui importait, c'est qu'elle était agréable,
un peu féroce, ce qui amusait Caroline, on évitait ainsi le
ressac de la pensée monotone et l'absence d'aptitude à se
souvenir, car Charly n'était pas dupe des manques de
mémoire de Caroline, à quoi bon se souvenir de ce qui sera
si vite oublié demain, pensait Caroline, et où avait-elle
donc rangé cette photographie, Jean-Mathieu, ce qui était
inexcusable, n'avait pas téléphoné ni écrit, il fallait
admettre sans se plaindre que la vie était parfois un cauchemar lorsqu'un ami vous délaissait, ou n'était-ce pas une
indisposition comme une autre, cette affaire de Jean-
Mathieu, ce n'était pas plus ennuyeux que d'avoir à changer de lunettes, cette photographie de Charles et de Frédéric en Grèce était essentielle à l'ensemble du livre, puisqu'il
n'est pas permis de fumer dans cette maison, dit Charly
toujours d'humeur boudeuse, je vais sortir quelques
minutes, déjà Charly avait enjambé le jardin, quel vide dès
qu'elle s'en va, pensait Caroline, et n'est-elle pas toujours
dehors, surtout la nuit, moi qui dormais déjà si peu,

Charly m'oblige à compter les heures jusqu'à ce qu'elle
rentre, je n'ai jamais eu l'habitude d'attendre quelqu'un,
que ce fût Jean-Mathieu, dans le passé, ou Charly maintenant, je ne savais pas que ce fût si odieux, et que fait-elle de
ses nuits pour rentrer à l'aube, ces cigarillos que fumait
Charly, leurs effluves malodorants, elle avait enjambé le
jardin, tant mieux, pensait Caroline, elle aurait un peu de
paix, Charly sortait ainsi, ne portant presque rien, une
robe trop courte, le maillot de bain visible en dessous, ne se
baignait-elle pas toute la journée, laissant tout un fourbi
autour d'elle près de la piscine, magazines, livres, cigarettes, Caroline eût été bien agacée par le rôle de mère, elle
ne pouvait que se réjouir de n'avoir jamais eu d'enfant
malgré les audaces d'une vie amoureuse bien remplie,
mais la maison était plus vivante depuis que Charly était là,
que penser toutefois de cette génération blasée, désœu-
vrée, ce n'était pas comme Caroline dont l'idéal patrio-
tique l'avait poussée à devenir pilote, héroïne de guerre,
avant sa trentième année, Charly était une créature
hybride, ni fille ni garçon, orgueilleuse de son corps, de la
fascination sexuelle qu'elle exerçait sur vous, en automne,
tout serait différent dans l'appartement new-yorkais,
enfermée, loin des nonchalants plaisirs de la mer, Charly
serait moins fantasque et plus malléable, ont-ils une âme
métallique, leur contact peut être si glacé, ou est-ce moi
qui ne sais comment m'adresser à ces jeunes gens, pensait
Caroline, surtout préoccupée par le silence de Jean-
Mathieu, eux qui avaient toujours été si proches, et le long
de la grève, Charly froissait de la pression de ses doigts la
lettre de Jean-Mathieu à Caroline, de la lueur rouge de son
cigarillo elle n'en ferait qu'une flamme lancée dans les

vagues, Caroline, Jean-Mathieu, avait décidé Charly, qui
n'avait besoin de Caroline que pour elle seule, étaient trop
vieux pour s'aimer, quelle indécence, l'amour à leur âge,
tout serait effacé à mesure de la bande des messages télé-
phoniques, Adrien, Suzanne ne téléphoneraient plus,
dommage pour Jean-Mathieu, mais le vieux poète était
trop attaché à Caroline, il l'eût accaparée, eût pris trop de
son temps, que de fioritures dans sa lettre calligraphiée,
Caroline n'était pas digne de tant d'attentions passionnées,
elle qui disait sans honte que sa famille avait déjà eu des
esclaves dans sa maison, elle ne disait pas esclaves, mais
domestiques, ajoutant qu'ils avaient été bienveillants
envers leurs serviteurs noirs, d'une bienveillance exquise,
disait Caroline, et aviez-vous quelques Jamaïcains parmi
eux, avait demandé Charly, et de quoi se mêlait Charly
avec ces questions, cet interrogatoire, Caroline ne devait
d'explication à personne, n'était-ce pas comme Jean-
Mathieu vous rappelant sans cesse son enfance pauvre à
Halifax, Caroline n'y pouvait rien, c'était là-bas, si loin
dans le temps sur l'océan Atlantique, il y avait près d'un
siècle de cela, la lettre de Jean-Mathieu en un jet de
flammes rejoignait le balancement des eaux, parmi les
mouettes, les pigeons au vol agité, dans la dense chaleur,
cette lettre de Jean-Mathieu et ses hiéroglyphes, pensait
Charly, indigne d'être aimée d'un homme aussi chevale-
resque, aimable que Jean-Mathieu, était cette femme,
Caroline qui feignait de tout ignorer du trafic des esclaves,
n'est-ce pas très loin dans le temps, répétait-elle, ou bien
était-ce l'une de ses graves absences de mémoire, pensait
Charly, un peuple courbé sur des plantations de canne à
sucre, que j'aime cette île majestueuse, disait Caroline, où

il fait toujours beau, ils furent tous vendus, pensait Charly, mes ancêtres, en Amérique du Sud, en Amérique du Nord, Antillais enchaînés, sans avenir, c'est ce sang des esclaves qui courait encore dans les veines de Charly, bien qu'on ne l'eût ni enchaînée ni vendue aux enchères, qu'elle fût née libre, son père, ce vétéran, et ses nombreuses maîtresses noires, dont la mère de Charlotte, une mère si jeune que manipulait cet homme, quelle amertume lorsque Charly pensait à l'emprise de la servilité sur les siens, sa mère, ses sœurs, et soudain apparaissait Caroline, dans l'île majestueuse, photographiant les uns et les autres pour son exposition, vous dérobant l'âme, c'est ainsi que Caroline avait abordé Charly, qui dansait seule, ivre de rhum, sur une plage, venez, approchez-vous, suppliait Caroline, sur l'écran à cristaux liquides, l'image d'une fille endiablée par la danse séduisait Caroline, ce sera une très belle exposition exprimant le charme de l'âme antillaise, où sont vos sœurs que je puisse aussi les photographier pour ma collection, vous êtes tous de si ravissants sujets, appelez-moi à mon hôtel ce soir, j'aimerais vous inviter à dîner avec votre mère, j'ai d'abord pensé que c'était votre sœur, consentant à la photographie pour la collection antillaise, Charlotte se souvint de cet œil froid de Caroline près du viseur de son appareil, peu à peu elle lui avait demandé de partir avec elle, d'être son chauffeur, puisque Charly, disait sa mère, aimait les voitures comme si elle eût été un garçon et ne rêvait que de partir, voyager, clouée aux images multiples, enveloppantes de son appareil photo, Caroline avait dit à Charlotte, vous serez bien chez moi, vous n'aurez rien d'autre à faire que de conduire ma voiture, j'ai déjà une secrétaire, une bonne, que cette île était bénie où Caroline avait rencontré Charly, disait Caroline, dommage qu'elle ne fût pas en compagnie de Jean-Mathieu, qui d'habitude voyageait à son côté mais qui discourait pendant ce temps dans une université londonienne, c'était si reposant ici, et le séjour en Jamaïque eût été moins dispendieux à deux, mais Jean-Mathieu n'avait-il pas dit à Caroline que depuis quelque temps il ne pouvait plus se permettre ce genre de voyages, il eût été du devoir de Caroline d'alléger Jean-Mathieu de ses soucis d'argent, mais elle revenait toujours à cette pensée que sa fortune était modeste et qu'elle eût humilié Jean-Mathieu en lui offrant son aide, Caroline avait souhaité avoir un chauffeur capable de la distraire, que Charly revînt avec elle plus tard ou non, il ne fallait pas capituler, car un jour on se met à vieillir rapidement, pensait-elle, et ne servent plus à rien les cures en Italie, un chauffeur, car elle devait préserver ses yeux pour son travail de photographe, sans docilité aucune, rebelle, jugeant Caroline comme son père, tous les deux de blancs imposteurs, Charly avait accepté l'offre de Caroline, bien que coulât dans ses veines le sang des ancêtres humiliés, c'est en brûlant la lettre de Jean-Mathieu à Caroline avec son cigarillo, près de la mer, qu'elle avait senti naître en elle cet immense orgueil que nul ne pourrait vaincre, n'était-il pas temps que la dette fût payée, que Caroline connût à son tour la domination, qu'elle eût à se repentir du mal qui avait été fait? Et écrivait Asoka à Ari, ce printemps a été consacré à l'enseignement à Oméga, pendant sept semaines, la visite des hôpitaux et des orphelins au Sri Lanka, un retour en Sibérie où, dans la république de Touva, à l'occasion de cette visite des hôpitaux, des médecins, infirmiers, chirurgiens m'ont dit n'avoir obtenu aucun salaire pendant plusieurs mois, comment soigner les malades dans de telles conditions, Ari ? En route vers la Mongolie, pendant un arrêt à Irkoutsk, dans l'est de la Sibérie, j'ai été bouleversé par la beauté magique du lac Baïkal, au soleil couchant, puis il y eut Prague où j'ai participé à l'importante conférence du millénaire, écoutant les meilleurs penseurs de notre temps, leaders politiques et religieux, exprimant dans l'échange des opinions une similaire incertitude devant l'avenir, aurons-nous, mon cher Ari, d'autres options que la destruction et la mort ? Voilà la question que se posaient plusieurs de ces invités, dont les uns étaient des prix Nobel. Je reste aussi très marqué par la visite d'un camp de réfugiés du Sri Lanka, ce camp dont je t'ai déjà parlé, situé dans le village de Kabithigollava, ce lieu qui évoqua pour moi, tu te souviens, les taudis les plus sordides que j'aie vus en Afrique, en Inde, il y avait là près de deux cents familles entassées dans les pièces suffocantes de huttes au toit en nattes de coco, comment concevoir que tous ces gens vivent désormais sans dignité quand, avant l'invasion des touristes tamouls, ils étaient tous de respectables fermiers dans leur village ? Quelques-uns me racontèrent leur triste vie ; ici, il n'y a aucune hygiène, nous nous soulageons dans les bois, cela va pour nous, les hommes, mais pensez à toutes ces femmes, adolescentes, qui doivent vivre dans cet abaissement. Les délégués gouvernementaux qui viennent jusqu'ici nous promettent de l'aide, puis repartent. En sortant de ce camp de réfugiés, j'ai pensé, mon cher Ari, qu'il était urgent d'agir, j'ai demandé à une amie architecte qui m'avait accompagné au camp, je sais que le spectacle de tant de malheurs l'affligeait autant que moi, de me prodiguer ses conseils, cette amie devint volontaire au camp, des toilettes temporaires furent installées, nous en avons fait construire plus d'une vingtaine et nous en construirons davantage dans les mois à venir. Nous parviendrons à en assumer les coûts grâce aux dons. Dans les campagnes très peuplées du Sri Lanka, tout près des marchés et des palais aux structures de pierre, résidences des chefs d'État, j'ai vu la prison de Walikada où sont incarcérés les criminels les plus dangereux, combien de fois ai-je marché près de cette massive forteresse autrefois, lorsque je n'étais que moine novice à Colombo, sans savoir qu'il y avait aussi des femmes emprisonnées là. Savais-tu, Ari, que dans ces prisons n'habitent pas que des femmes qui n'ont commis aucun délit, mais aussi leurs très jeunes enfants, parfois des nourrissons? Auprès d'un comité qui veut adoucir le sort des prisonniers, un projet a été conçu afin que les prisonnières puissent rendre visite à leurs enfants dans une crèche à l'intérieur de la prison, sans que ces petits aient à cohabiter avec des criminels. Une énorme porte de fer nous conduit à la prison des femmes, plusieurs grilles et portes cochères, partout des femmes en habits de ville, d'autres dans leur uniforme de la prison, celles qui sont vêtues de blanc sont les condamnées à vie, les autres n'ont aucune raison d'être là, avec leurs bébés, toutes doivent vivre dans des conditions dégradantes, quand une très faible minorité de ces femmes a commis quelque infraction à la loi, et souvent par ignorance, les unes ont été arrêtées parce qu'elles vendaient sans permis au marché, d'autres n'ont pu obtenir un avocat pour leur défense, et les cellules où elles sont entassées avec leurs enfants n'ont rien en commun avec les cellules des prisons occidentales, ces femmes dorment emmêlées sur le sol de ciment des salles sans pouvoir se laver ni utiliser les douches que s'approprient les prisonniers violents. Ces femmes hésitaient à me parler de leur vie, l'une d'elles finit par me dire dans des sanglots qu'elle était là à cause de son mari, le mari ne s'étant pas rendu aux policiers dans un cas de fraude, on avait capturé sa femme et son enfant. La prison des femmes aura une crèche, mais à mon retour au temple je ne pouvais méditer paisiblement en pensant à toutes ces jeunes femmes, il me semblait entendre encore leurs cris, le cri de leurs enfants, oui, je me sens encore triste que de telles choses puissent exister dans notre monde, je t'embrasse, mon cher Ari, dans l'amitié et la sérénité. Ah! pensait Ari, en lisant ces mots que lui avait écrits Asoka, pourquoi son ami ne s'était-il pas davantage reposé devant la beauté du lac Baïkal, au soleil couchant, à quelles incessantes œuvres de charité ne vouait-il pas sa vie, du Sri Lanka à la Mongolie, Ari eût-il jamais consenti à se livrer corps et âme à ces causes sans espoir? Pendant que le moine Asoka faisait bâtir des abris hygiéniques, protégeait la dignité des femmes dans un camp de réfugiés, pendant qu'il visitait de jeunes mères injustement séquestrées dans la prison de Walikada, que représentait pour Ari la femme, sinon le culte de sa sensualité et de son art, n'était-elle pas, pensait-il, au service de ses capricieux instincts, n'était-elle pas avant tout la complice de son fulgurant amour de la vie? Une compagne d'amour, de plaisir, à qui il fermait les régions les plus désolées de son cœur, il savait peindre d'elle, dans un tableau vivement esquissé, le sourire de l'extase si vite dissipé, la crispation du visage dans la lutte amoureuse, tout ce dont pouvaient s'emparer ses sens gourmands tous les jours, ce n'était pas là la prière qu'attendait de lui Asoka, le courage de l'action réfléchie qui eût été salvatrice pour l'humanité, l'artiste, pensait Ari, était cet être imparfait, sa conduite n'était pas limpide, son art était souvent imprégné de toutes les impuretés de la vie, de ses vices bien souvent aussi, ou l'art condensait-il en quelques illuminations ce sens de la perte, perte irrémédiable qui accablait chacun de nous de la naissance à la mort ? Lors de cet arrêt à Irkoutsk, en route vers la Mongolie, Asoka avait donc pris le temps d'être ébloui par la beauté du lac Baïkal au soleil couchant, c'était donc un homme comme tous les autres, lancinant d'une divine beauté, d'une divine présence, le temps d'une méditation dans la nature, cet aveu touchait l'âme d'Ari, comme si Asoka lui eût soufflé à l'oreille, il m'arrive de comprendre l'amour moi aussi, le tien, celui de tout le monde, ton amour charnel de tout ce qui respire, dans l'éblouissement que lui procurait la vision du lac Baïkal, Asoka en avait oublié son volontaire détachement de la terre, l'eau profonde d'un lac lui avait rappelé qu'il était sensuel lui aussi, ce détachement, pensait Ari, ne nous séparait-il pas de ce que nous aimions le plus, la beauté, la sensualité, ce détachement n'était pas de notre monde, mais cette adhésion à toute l'action de la vie, fût-elle néfaste, n'était-elle pas aussi un manifeste signe de la futilité d'Ari, avide de tout foisonnement dans sa passion de peindre, de sculpter ? Qui comprenait mieux que lui, pensait-il, la fureur de Goya, dans ses croquis de guerres et de désastres, son obsession des laideurs et des corruptions du XVIIIe siècle, l'artiste était un sorcier, un démon, analyste mais fougueux perturbateur, il disait, regardez, voyez où est le scandale de la douleur, *que viene el Coco,* gare au Croquemitaine, une mère protestait, ses deux enfants dans les bras, mais le Croquemitaine, qu'il fût l'apparition de la Peste ou de la Famine, avançait, dans ce dessin de Goya, indifféremment vers les uns et les autres, sans dévoiler la figure du Monstre, sous le capuchon, *que viene el Coco,* gare au Croquemitaine, celui du millénaire, pensait Ari, aux offenses à la nature se multipliant dans ce monde physique de l'univers qui ne contrôlait ni ses déluges ni ses sécheresses, ni ses cyclones, ni ses tempêtes comme si nos mauvaises forces les eussent déchaînés contre nous, c'était aussi ce qu'entreprenait de décrire l'œuvre gravé d'Ari lorsque s'abattait sur les Caraïbes un cyclone tropical, la population était-elle évacuée qu'Ari refusait de partir avec les autres, à la fenêtre de sa maison que maltraitaient les tourbillons frénétiques, il regardait le jour sauter brusquement dans la nuit, le centre du tourbillon atmosphérique lui semblait être à sa porte, le ciel n'était-il pas animé du même mouvement de rotation qui déracinait du sol des jardins les palmiers, les limettiers, qui plongeait sous l'eau la tête des pélicans et des aigrettes, qui arrachait des fils électriques vers le trottoir abrupt l'aiglon, *que viene el Coco,* gare au Cyclone, à la Tempête, aux vents intrus sur des plages, de l'air transparent, du jour bleu montaient la nuit et un ciel de bourbe, rattaché à ce monde physique de l'univers avec lequel il n'eût jamais voulu se défaire de ses liens, Ari dessinait, peignait la beauté de ces ruines après la tempête, le cyclone, à l'aube se calmeraient les vents, pensait-il, sous la pluie, le soleil, toute épave radieuse reprendrait vie. Hé, disait Arnie Graal à Samuel, grandis, petite graine, fais un effort, je ne tolère aucune paresse dans ma compagnie, ni aucun retard ; s'il y a tout cet espace autour de toi, c'est pour qu'aucun mouvement de mes danseurs ne soit invisible, je te ferai travailler ce soir en solo, la danse est un choc pour le corps, une tornade, apprends à bouger ton corps, c'est ton langage, ta respiration est ton rythme, il faut te sonder aux percussions d'une musique africaine, l'entendre de très loin, n'as-tu donc fait que rêver jusqu'ici, on voit qu'à douze ans tu n'as pas affronté des émeutes, que tes copains n'étaient pas tués sous tes yeux, à Harlem ou ailleurs, et Samuel écoutait craintivement son professeur, songeant à la Vierge aux sacs, qui sait si la démente n'avait pas eu raison dans ses lunaires prédictions, la ville de New York serait enlisée dans un déluge, s'écrouleraient ses édifices, ses gratte-ciel, Samuel serait dépossédé, ne lui avait-il pas crié dans la rue quelques heures plus tôt, mensonges que tout cela, mensonges, filant, libéré, au volant de sa voiture sport, car il était jeune, vivant, et chacun devait le respecter à cause de cela, mais qu'aurait-il fait si la vie lui avait réservé la réalisation de toutes ces prophéties? Sans doute son professeur de danse l'impressionnait-il trop, en imposant à ses jeunes danseurs le ton de son commandement; Arnie avait dit à Daniel qu'il était un artiste, un Noir ensuite, surtout un artiste, longtemps il avait lavé le linge, le jour, dans une buanderie d'hôpital, dansant le soir, la nuit, dormant peu, d'Amsterdam à Berlin, à San Francisco, il avait toujours dansé, et Samuel pensait qu'auprès d'Arnie, sous sa direction, il se mouvait dans les ténèbres, n'avait-il pas perdu subitement toute confiance en lui-même en entendant la voix de prêcheur de cet homme, pense au pouvoir de la démarche animale, s'écriait Arnie, à la majesté de la nature, moi aussi je fus sain comme toi, un roc, je le suis encore, on ne me démolira pas, ma chorégraphie *Matinée d'un survivant* a été conçue pour ceux qui partent et qui n'ont pu guérir de l'Abcès, plusieurs représentations ont été données pour eux, à leur chevet, autour de leur lit, pendant qu'ils agonisaient, je venais près d'eux avec mes vingt danseurs, ils tombaient autour de moi comme des feuilles, des grains de poussière, un rabbin lisait pour eux le livre de la Genèse, une femme chantait en yiddish, nous changions de langue, de textes sacrés, selon les origines de chacun d'eux, mais nous chantions souvent en plusieurs langues, oui, ils s'effeuillaient, ces fleurs, ces grains de poussière, chantez encore, demandaient-ils, chantez, ils étaient las, très las, d'autres tombaient autrement, sous les balles, pendant que nous dansions dans ce théâtre, en quelques secondes, hier, un immigrant noir africain, un marchand de rue, un chiffonnier qui n'était même pas armé était assassiné par quatre officiers blancs, qu'avait-il volé? Rien, on le disait croyant et bon travailleur, dix-neuf fois ils ont tiré sur lui, comme il gesticulait beaucoup, eux se méprirent quand il ne voulait que s'expliquer, un pauvre diable et qui bégayait, il est mort là, dans le vestibule d'un appartement du Bronx, et la ligue de ceux qui doivent prévenir ces crimes, la nuit, n'était pas là, il n'y avait pour Doumadi que des tueurs, quatre officiers new-yorkais blancs. Protestations ou recherches, rien ne servira à rien, la mort d'un homme de race noire comme il y en a chaque jour dans nos villes n'est rien, qui est plus négligeable que le chiffonnier Doumadi, balayeur ou cireur de chaussures? Ce sera ma prochaine chorégraphie, l'histoire de ce chiffonnier, et toi, Samuel, il faut me prouver qui tu es, tu n'as donc connu que la danse traditionnelle, alors je te briserai, tu es comme une flûte pastorale aux sons charmeurs, ne sais-tu pas que dans ce monde le seul tumulte que nous entendions distinctement est celui de la foudre? Nous aurons, avec mes vingt danseurs, un chœur de femmes, d'enfants, déchiré par tous les cris, peux-tu chanter avec tes entrailles, enfant farouche? Combien Arnie étourdissait Samuel, habitué au calme et au relâchement de son île, quand son instinct ne l'avait longtemps guidé que vers la paresse, la langueur, dans un jardin autour d'une pointe de mer bleue, là-bas croissaient des plantes rares, des arbres, des fleurs dont sa grand-mère lui avait enseigné les noms savoureux, car elle cultivait les fleurs exotiques de l'amaryllis, de l'Amérique du Sud, dont les bulbes sont toxiques, le lys de la pluie, la plante grimpante du pandorea et sa blancheur immaculée, la tulipe africaine, les orchidées des Philippines, la fleur de la passion écarlate, ses pétales, tels des stigmates, le gardénia et l'étoile du jasmin blanc de l'Inde, la couronne d'épines de Madagascar, stigmates, épines, pourquoi ces évocations de la souffrance dans le nom de ces fleurs, de ces plantes, n'était-ce pas malsain, pensait Samuel, pourquoi le souvenir d'une si lointaine douleur sacrificielle eût-elle tant à peser sur le destin des hommes, quand donc l'humanité serait-elle enfin purifiée du sang de la crucifixion, et pourquoi le père de Samuel avait-il confié son fils à Arnie, ce curieux esthète de la danse, pourquoi l'avait-il propulsé chez le chorégraphe inspiré, dynamique, mais si dur, même lorsque le délire de la danse transportait le corps d'Arnie, rien en lui ne se désagrégeait avant de se refaire, comme chez les autres danseurs, comme il le disait lui-même, sa dureté était celle du roc, c'est ainsi que Samuel avait approché Arnie, dans une crainte respectueuse, il pensait avec émotion à celui qui avait dansé devant des foules, qui venait de présenter à Munich sa quarantième œuvre et dont la voix était celle d'un baryton, si on en omettait les accents de prêcheur ; l'amulette d'os aux reflets chatoyants étincelait sur la chemise noire d'Arnie pendant qu'il exhortait les danseurs à ne pas vouloir plaire au public, l'aimer, le haïr, peut-être, nous venons pour attaquer, pour surprendre, disait-il, comme l'huile sur le feu, et toi, Samuel, petite graine d'homme, tu es ici pour apprendre, ne perdons pas de temps, danse ! l'acacia, pensait Samuel, l'arbre du poinciana royal, la plante de corail des îles du Pacifique, l'olivier du Texas, quand donc Samuel reverrait-il sa grand-mère, Augustino, Vincent, sa sœur Mai, Mai qui portait le nom d'une enfant disparue, recherchée, depuis plusieurs années, depuis ce mois de mai où on ne l'avait jamais revue et qui n'était qu'un dossier parmi d'autres, tant d'enfants disparaissant ainsi chaque année, à la naissance de sa fille, Mélanie lui avait légué ce prénom, Mai, en souvenir de la véritable Mai portée disparue à l'âge de quatre ans, un ruban dans ses cheveux, qui donc l'avait ravie, par quel enlèvement d'un ami, d'un parent traître, où était le prédateur de Mai, née en Ontario, ne subsistait d'elle désormais que ce prénom printanier, Mai, légué à l'enfant cadette de Mélanie et de Daniel, une même enfance menacée pourtant que Mélanie s'acharnerait à défendre contre des prédateurs infamants, et Mère demandait à Augustino, pendant qu'ils longeaient ensemble les allées du jardin, peux-tu me dire, toi, le nom de ces fleurs, de ces arbres qu'un jour, avant que vous commenciez tous à grandir, je fis venir, voici le jacobinia carnea qui préfère l'ombre au soleil, dit Augustino, en levant vers sa grand-mère un visage assuré, la tulipe africaine qui fuit le froid, le jacaranda du Brésil, le poinciana royal que tu nous donnais à Noël, les orchidées des Philippines, l'amaryllis, l'olivier du Texas, Augustino entendit sa grand-mère lui dire d'une voix effrayée, pendant qu'elle prenait sa main dans la sienne, peux-tu m'expliquer ce qui arrive, Augustino, je ne me souviens plus du nom de ces fleurs, de ces arbres, ni même d'aucune plante ornementale que j'ai enlevée de la maison, à cause de Vincent qui ne pouvait pas respirer leurs fragrances, mais les roses, l'acacia, les fleurs jaunes du mimosa, oui je me souviens que nous en avions tant, c'était quand Jenny n'était pas encore partie en Corée du Nord où elle verrait tant de malheurs, quelle idée d'aller exercer la médecine si loin de nous, l'étoile du jasmin blanc de l'Inde, dit Augustino, l'hibiscus rose de Chine, tu sais que l'on peut manger leurs pétales, quel phénomène que l'oubli, reprit Mère, peux-tu me l'expliquer, toi, Augustino, toi qui sais déjà tant de choses, Augustino s'était déjà enfui à l'extrémité du jardin, tu sais qu'il ne faut jamais rien oublier, dit Mère, comme si Augustino fût encore près d'elle, ni le nom des fleurs et des plantes, ni leurs parfums, ce qu'il advient des grandes personnes qui ne sont pas comme toi, refusant toujours de dormir, c'est qu'elles s'endorment lentement pendant qu'elles sont éveillées, et ainsi elles oublient le nom des fleurs, des plantes, mais les fleurs jaunes du mimosa, nous en avions encore en abondance quand Jenny était avec nous, dit Mère, nous en dispersions chaque jour dans les chambres, elle et moi, c'était quand Samuel était encore avec nous, ton père, ta mère, quand nous étions encore une vraie famille, puis Mère observa que du patio où Augustino venait de se poser, sur une chaise, ses pieds nus ballant dans l'air chaud, appliqué soudain devant l'ordinateur miniature que lui avaient offert ses parents, quelques jours plus tôt, un ordinateur neuf quand Augustino en possédait déjà deux, n'était-ce pas pour compenser leurs fréquentes absences de la maison, Augustino avec qui Mère aimait causer ne l'écoutait plus tant il était dans la hâte d'écrire à son père, tapant sur le clavier cette lettre qui serait reçue presque dans l'instant même et que lirait Daniel dans son monastère en Espagne, ainsi vivaient-ils tous, pensait Mère, s'écrivaient-ils tous, et ces lettres, dans leur rapidité, n'étaient-elles pas un peu diffuses, sans consistance, chacun encombrant l'autre du débit accéléré, brusqué de son *e-mail,* c'est ainsi qu'un petit-fils n'avait plus de temps à passer auprès de sa grand-mère, et que se disaient-ils tous si pressés, empressés, où s'en allaient-ils tous ? Et Samuel se souvint qu'il y avait aussi dans son île quelques fleurs vénéneuses, c'était cette excroissance de souvenirs de révélations telles des tumeurs qu'il avait pu déceler à la lecture du livre de son père *Les Étranges Années,* pourquoi lui avait-on caché pendant si longtemps l'accoutumance de son père à la cocaïne, s'adonner à une drogue était-il un crime, Mélanie eût dit à Samuel que ces délinquantes années de ses parents devançaient sa naissance, cette naissance de Samuel, ne l'avaient-ils pas enrobée d'une essence de féerie, de miracle, quand cette vie naissante de Samuel, dans la mêlée de leurs excès, se révéla soudain si précaire ? Daniel dans son livre, pensait Samuel, exhumait de leurs sépultures les aveux de ses fantasmes, d'une paranoïa dont il surestimait l'aspect créateur, n'avait-il pas eu cette apparition du chien de Hitler réclamant son animale part d'innocence, qu'il ne fût pas cristallisé dans l'Histoire avec les meurtres de son maître, dans quelles inconscientes frayeurs l'esprit de son père s'était-il empêtré, avec l'usage de la drogue, celui qui selon l'ironique critique d'Adrien était le Jean-Jacques Rousseau du XXIe siècle, en avait-il épousé les rêveries et la décadence, Samuel eût été plus heureux s'il avait méconnu l'aspect dissolu de son père, pensait-il, mais peut-on juger ses parents, peut-on juger Dieu, les maîtres de votre vie ? Et Daniel qui avait été un garçon dissipé avant de s'assagir auprès de sa femme, de ses enfants, était aujourd'hui un homme d'une grande tolérance, acceptant des autres toutes leurs aberrations si l'écrivain en lui y percevait un sens poétique, ainsi percevait-il Arnie comme un prince de la danse à qui tout était permis, les deux amis ne se reconnaissaient-ils pas dans la même sincérité exhibitionniste, Arnie se vantait aisément de ce que tous l'avaient convoité, désiré, dans les bains, les saunas, pour la couleur de sa peau, la force de ses muscles, le sexe, disait-il, était aussi un exploit, une œuvre, de ces bains de vapeur émanaient les rites de la chair glorifiée, ce cadet d'une famille de douze enfants estimait la courtoisie, le jeu de ces rites, il disait ne pas aimer être seul, que voulait-il donc, la révolution, disait-il, reculer les frontières du sexe, de la race, les abolir avec impudence, reculer aussi les frontières de la mort, n'était-ce pas la révélation de sa chorégraphie *Matinée d'un survivant,* son chef-d'œuvre, dans laquelle fusionnait la multiplicité des arts, tout en gardant son auditoire captif, pendant trois heures, Arnie, dans son art de la danse, n'avait-il pas parlé que de cela, mourir, et pourtant voyez combien Arnie avait l'air bien, l'Abcès s'insinuait dans la vie de ces hommes qui rayonnaient de santé, pourtant, comme le ver dans la pomme ; cet abcès grossissait au ralenti, quand les danseurs se concentraient sur leurs postures, et soudain, disait Arnie, quand l'un de nous partait, nous pensions que cela finirait bien par nous ronger, nous aussi, et j'ai eu cette idée que si nous dansions autour de nos amis mourants, nous allions les retenir plus longtemps avec nous, et ces amis disaient, oui, chantez, dansez, mais ne m'abandonnez pas, moi qui suis si las, ainsi nous quittaient-ils tous doucement pendant que nous étions à leur chevet, tout autour d'eux, ainsi tombaient sans bruit ces feuilles, ces grains de poussière, ces amis étaient déjà de l'autre côté de la barricade où l'on dort sans ses chaussures, et nous dansions et chantions encore, si je survis, c'est que je danse, disait Arnie, comme dans la coutume africaine, c'est par la danse que nous aidions nos amis dans la torturante traversée, et on m'accusa, dans les journaux, d'avoir pétri, manœuvré les émotions de ceux que la mort dégoûte, mes danseurs et moi n'avions fait qu'accompagner vers l'autre rive ceux que nous avions bercés, endormis, de la cadence de nos pas, de la somptuosité de nos gestes, pourquoi la mort ne serait-elle pas elle aussi un exploit, une œuvre, un nouveau baptême, un mariage avec l'au-delà, ou bien simplement cela, une composition de danse, une chorégraphie ? Mais ce souvenir de l'œuvre dernière contractait l'âme d'Arnie, il disait avec un sourire de défiance malaisée, Tchaïkovski osa lui aussi une œuvre, une symphonie, celle du dernier souffle, ce fut la *Pathétique,* lorsqu'il traduisit dans sa musique la vision qu'il avait eue du jeudi 25 octobre, où un verre d'eau, bu au robinet, le ferait vomir, quand le second le tuerait, il allait ressentir bien avant l'heure ces spasmes à l'estomac, la fièvre après le bain chaud qui ne serait pas salutaire, mourrait-il comme sa mère du choléra en prenant un bain, tout à coup, en composant cette symphonie, il avait tout saisi de ce jeudi 25 octobre, je crois bien que c'est la mort, adieu, dit-il à son frère, dans un moment de conscience hallucinée, l'Abcès, il vit l'Abcès, ce précurseur n'eût pas été surpris qu'un siècle plus tard un jeune chorégraphe noir alors inconnu exécutât bien autrement son *Lac des cygnes,* sa *Belle au bois dormant,* l'accompagnement de la musique serait le même, révolutionnaire, les grands anatidés à plumage blanc, dans mon ballet, seraient des cygnes noirs, les longs cous trop souples des danseurs africains se courberaient comme sous la menace d'un couteau, toute blancheur serait suspecte, celle des Robes de la mort, on trouverait mes cygnes au bord d'une route, d'un étang, les adolescents de la Fraternité aryenne les lyncheraient, un cygne, seulement, et la Fraternité épinglerait à leur chemise un badge d'honneur, quant à la *Belle au bois dormant,* jamais elle ne se réveillera, dans ma chorégraphie, c'est la déesse de l'indifférence dans son tombeau. S'est-elle jamais réveillée? Arnie avait suscité le scandale, de même l'avait fait Marcel Duchamp, disait Arnie, dans les manifestations non conformistes, ce que l'on reprochait surtout à Arnie, c'était son cynisme, je ne veux pas, déclarait-il, qu'on oublie ces corps noirs qui se sont longtemps balancés au bout des branches, dans les plantations, et par la danse on peut tout exprimer, la vie, la mort, j'ai ouvert dans douze villes des ateliers de survie et j'écoute ce que chaque mourant a à me dire; je ne suis qu'un artiste, pas un guérisseur, comment chacun d'entre nous voit-il sa propre mort ? Je veux savoir, c'est tout, peut-être ai-je envie que chacun constate que ces moments de la fin d'une vie n'appartiennent qu'à lui seul, pourtant, c'est dans une danse collective que nous mourons, que voit-on, que ressent-on pour la dernière fois ? Est-ce cynique de vouloir l'accomplissement d'une danse entre tous ces êtres séparés qu'une même crainte unit ? Je veux une levée d'âmes triomphantes, déterminées, nous formons alors un cercle, une arche, il n'y a pas que cette union du sexe et de la mort, son image euphorique, il y a aussi que la mort est vitale, qu'elle est pour tous un recommencement, nous pouvons tous convertir notre mortalité en une matinée de survie, et cela varie pour chacune, chacun ; j'ai composé un trio pour de jeunes gens cancéreux, pendant que se noient dans les fluides leurs poumons, vous pouvez les entendre dire, dans une vidéo, tous ceux qui étaient à l'hôpital avec nous ne sont plus, mais nous sommes ici, par quel mystère divin ? Et pour combien de temps encore ? Une jeune fille dit, de sa voix toussoteuse, Dieu m'aime, mais où vais-je ? J'ai ajouté à ce tableau sonore un air de saxophone, une voix d'alto, à l'arrière-plan, et un pas de deux pour mes danseurs, soudain, la musique se fait véhémente, comme si les danseurs s'attaquaient ardemment les uns les autres, cela console les uns, ces pas, cette ardeur de la bataille, de la dévastation de la chimiothérapie, une main qui se pose sur leur peau que sillonne le tracé malfaisant, cette peau du cercueil, cette main initie à une nouvelle caresse de la vie, à l'espoir, même si ce n'est que pour quelques jours, quelques heures, étrangement, ces ateliers de survie deviennent soudain routiniers comme la mort elle-même, comment pourrais-je encore reconnaître où commence l'art et où finit la vie ? Je sais que mon seul pouvoir, c'est l'art ; ces critiques dans le monde de la danse s'interrogent à mon sujet ; est-il la réplique d'un Nijinski pénétré des cultures africaines, par l'ampleur de ses bonds, oui, disent les connaisseurs, mais attention, c'est aussi un impur fervent des saunas, des bains de New York, avec l'Abcès, sa prodigieuse force sera altérée, son art ira périclitant, c'est l'une des figures les plus charismatiques de la danse noire, trop de lauriers ne l'ont-ils pas gâté très jeune ? N'est-ce pas déjà l'heure de son déclin ? D'autres disent que je ne sais pas danser, que je confonds tout, littérature, théâtre, musique, pantomime, qui sait s'ils ne voient pas en moi un orateur des temples et des églises ? Tout est là, en moi, produit des totales transformations du siècle, le culte de soi, un narcissisme qui convient aujourd'hui à bien des artistes, et cet accueil des cultures africaines et asiatiques, je laisse la parole, celle du mouvement, de la danse, à ces cultures, mais on continue de se demander encore qui est cet Arnie Graal, danseur et chorégraphe, illusion ou vérité, héritier de Balanchine ou la Reine des neiges des saunas, mais je ne pourrais vivre autrement que dans la contestation, contrarié, controversé, le temps presse autour de moi, dans son autobiographie inachevée, Arnie avait écrit qu'il ne vieillirait jamais, aux autres, ces vilaines taches de l'âge, il serait toujours beau et viril, il n'aurait jamais de rides comme son père, sa mère, ses dents seraient toujours éclatantes, emmenez-moi jusqu'au seuil de la mort, avait dit Arnie, en dansant dans sa *Matinée d'un survivant*, ce sera un jour d'automne, pudiquement j'écrirai une note à mon frère, à ma sœur, à ma mère, j'entendrai le bruit du vent dans les feuilles, j'écouterai cette symphonie, la *Pathétique*, en fermant les yeux, n'ai-je pas toujours su qu'en écoutant cette musique je ne me réveillerais plus? Et Samuel avait écouté la voix d'Arnie en pensant combien son père et Arnie étaient frères, n'étaient-ils pas tous les deux des artistes d'une ère de survie à laquelle, pas plus qu'à écouter les démentes prédictions de la Vierge aux sacs, sur le trottoir, Samuel n'eût aimé s'attarder, le professeur Arnie Graal, Daniel, son père, étaient d'une génération anachronique, pensait Samuel, ils seraient vite dépassés par les plus jeunes, allons, petite graine, apprends à bouger ton corps, s'écriait Arnie, d'une voix de baryton qui emplissait la salle du théâtre, qu'est-ce que cet air maussade, grincheux, danse plutôt, va rejoindre les autres danseurs et exécute les mêmes pas qu'eux, je te corrigerai, ils auraient été bien étonnés, pensait Samuel, Arnie, Daniel, son père, de voir avec quel appétit désinvolte Samuel et tous ceux qui avaient son âge enclin à la paresse, à la sensualité, rêvaient d'un monde qui ne fût que confortable, rien de plus qu'un monde qui ne fût qu'un paradis, la nouveauté d'un paradis pour ceux qui apprendraient à le construire, à l'écart des valeurs du vieux monde, ce monde dût-il être parfois sans passé ni mémoire, mais la pensée de Samuel s'embrouillait de mélancolie, ne serait-ce pas démoralisant si son père, Arnie, avaient aussi raison, et que l'espérance de la jeunesse, naïve et sans expérience, ne fût qu'un leurre, non, Samuel ne pouvait le croire, ils sont ennuyeux, surannés, ce sont mes parents, mes professeurs, sans penser en même temps, même si leurs idées me pèsent, que serais-je sans eux? Jeune, vivant, autonome, c'était Samuel, dont les cheveux encore longs ondulaient sur son torse, pendant qu'il dansait, vivre, c'était cette danse, cette joie effervescente, et l'égayant rêve d'étreindre dans ses bras Veronica, ce soir, c'était aussi de chercher à percer ce mystère d'une incompréhensible nature qui le liait à tous ceux qui l'avaient précédé, qu'ils fussent morts ou vivants. Et Mélanie pensait à ce destin qui n'était pas le sien, le destin de Rafa qui attendait sa mort dans une prison de Jordanie, disait-elle au revoir à son fils Samuel qu'elle était hantée par Rafa, embrassait-elle Samuel devant la portière de sa voiture rouge que le visage de Rafa semblait l'éloigner du visage de Samuel, il serait toujours un homme libre, Rafa, une femme déchue de ce don de la liberté qui n'était pas le privilège de tous, se préparant à partir pour Washington où elle animerait un débat télévisé avec d'autres femmes activistes, Mélanie pensait à l'inhumanité d'une coutume arabe qui avait déjà mis en péril la vie de tant de jeunes femmes et tué plusieurs autres, une jeune fille était-elle violée, une femme mariée commettait-elle l'adultère que ses frères se saisissaient du droit de la tuer, Rafa, comme Suzanne avant elle, avait trouvé refuge en prison, sachant qu'aucun de ses frères n'hésiterait à l'anéantir de plusieurs balles dans la nuque si elle revenait dans sa famille, et on l'y forcerait, demain, dans quelques jours, chacun lui promettait, comme à Suzanne, de ne lui faire aucun mal à son retour, mais Rafa, Suzanne savaient que le prix de l'honneur serait acquitté par le sang, leur sang, et je mérite de mourir, disait Rafa, dans une navrante confession à celles qui, comme Mélanie, venaient vers elle pour la sauver, oui, coupable, je le suis, car pendant trois jours j'ai été l'amante d'un ouvrier, et à cause de cela je dois mourir, comme le disent mes frères, mon père, et le frère de trente ans de Rafa, et hier, celui de Suzanne, serait ce meurtrier efficace, diligent, il dirait à ses autres frères, c'est la faute la plus impardonnable qui soit, il faut punir, lapider, tuer toute jeune fille qui a été violée, même lorsqu'elle nous dit que ce n'est pas sa faute, cette jeune fille a répandu sur ses frères le crime du déshonneur, de sa prison en Jordanie, Rafa entendait-elle la voix des femmes activistes de son pays, car sortait de l'obscurité séculaire la macabre coutume, et c'étaient ces mêmes femmes martyres qui la dénonçaient, toutes disaient avec Mélanie, Rafa ne sera pas assassinée par son frère, assez de ces crimes, un médecin qui constate la perte d'un hymen dans quelques jours fera la constatation du décès de la même jeune fille tuée par la main fratricide, de l'Amérique comme de l'Europe, Rafa entendait-elle de la prison où stagnait son existence, l'existence d'un agneau aux pattes ficelées, ces voix de femmes, reporters, journalistes, telle Mélanie, engagée dans la lutte politique pour les droits des femmes brutalisées par leur père, leur frère, entendait-elle, Rafa, celles qui incriminaient la coutume de la loi des frères lapidant leurs sœurs, et ces voix de son pays qui disaient nous donnerons l'exemple en nous opposant à cette continuité d'homicides ignominieux, nous le ferons au prix de notre propre vie, nous préviendrons dans nos familles ces tueries de l'honneur, mais dans son égarement, Rafa répétait à ses geôliers, je suis coupable, j'ai attiré sur moi ce sort maléfique par mes actes irréfléchis qui ont scandalisé mes jeunes frères, car il est connu que l'honneur du père, des frères repose sur la vertu de leur sœur, de leur mère, cette phrase dictera ma fin, et Rafa entendait le rire du frère de Suzanne, l'assassin sans remords si efficace et diligent, demain, une adolescente viendrait à la porte de la même prison se confesser à la police, oui, j'ai eu tort, je le sais, dirait-elle, comme Suzanne, Rafa, car telle est la loi, et les requêtes de Mélanie pour Rafa, ses pétitions dans les ambassades arabes, ses appels à la télévision aux femmes dans leur foyer n'éviteraient pas à Suzanne, à Rafa, le coup de l'arme rituelle, le frère, à huit heures vingt, dès le lendemain saurait comment abattre l'agneau, le saigner, l'heure serait précise, huit heures vingt, et était-ce sous un figuier qu'ils s'étaient enlacés, Rafa et l'ouvrier, combien de jeunes filles, ce jeune homme, cet ouvrier lui aussi sans remords ferait-il lapider par leurs frères, telle était la loi qui ne fléchirait pas, pendant de longues années encore, pensait Rafa, dans une ville oubliée du Proche-Orient où les hommes avaient la dureté du climat, du sol rugueux et sans pluies, la sécheresse, l'âpreté, Rafa ne reverrait jamais les abords d'un fleuve, l'ouvrier dont les mains étaient poreuses aux sables du désert avait fui avec son corps drapé de secrets, jamais Rafa ne reverrait les abords du Jourdain, aucun arbre, pas même ce figuier sous lequel ils avaient dormi, l'ouvrier, Rafa, Suzanne, le chant des balles crépitait dans le ciel, et Rafa répétait qu'elle méritait son sort, mais, femmes, taisez-vous, que savez-vous de nos coutumes tribales, de nos familles, de notre religion, de nos férocités et de nos guerres à jamais ancestrales, la femme n'est que cet agneau qui jamais ne doit se plaindre, en vain Mélanie recueillerait les signatures de ses pétitions, pendant que dans sa prison Rafa attendrait cette journée crépusculaire du prix de l'honneur, dans les cheveux de Rafa, une boucle noire, quelque coquetterie sublime, était-ce pour elle-même ou pour le frère, c'est ainsi que la verrait Mélanie, à quelques heures de son assassinat, Mélanie ne contenait plus ses larmes, dans sa voiture ou à l'aéroport, en pensant au sort de Rafa, pourrait-elle éveiller un jour les sentiments de ses fils à tant d'injustices, un esclavage qui n'avait pas été supprimé était obsédant pour qui jouissait comme Mélanie d'une enivrante liberté; de quoi lui parlait Samuel de ce téléphone aérien qu'il agrafait à sa ceinture, de femmes, de sport, peu de la danse, de son professeur, sa mère ne pourrait-elle lui télégraphier un peu d'argent pour ses leçons de parachutisme, le saut en parachute, quoi de plus exaltant, il serait d'abord accroché à son instructeur mais bientôt sauterait en chute libre, d'un avion, une minute, cela ne durerait qu'une minute et ce serait le déploiement du parachute, il enverrait à Mélanie une vidéo relatant son aventure, tu sais, maman, que l'on peut effectuer plusieurs sauts par jour, il serait dépourvu de langage, de là-haut, maman, nous voyons tout, la mer, les montagnes, quant à Augustino qui aurait bientôt douze ans, ses exigences, pensait Mélanie, n'étaient-elles pas elles aussi du même ordre matériel, la dernière version d'un jeu, d'une bande vidéo, était revendiquée, ces jeux, ces films que sa grand-mère interdisait dans la maison, mais qui filtraient par tous les pores, les interstices des écoles, des salles de jeux, du pavillon voisin où Augustino allait jouer, Esther disait à Mélanie que cette vaste industrie de la guerre sur vidéogrammes avait déjà perverti tant d'esprits, parfois ces guerres imaginaires outrepassaient les frontières terrestres et se déroulaient dans le ciel ou dans quelque espace idyllique que l'on nommait ainsi, disait Mère à sa fille, pétrifiée de voir qu'Augustino avait assisté à des combats entre deux armées se passant dans les cieux, mais quel ciel, quels cieux, demandait-elle, n'avaient-ils pas assez corrompu notre terre, Mère se fâchait, s'indignait, mais à quoi bon, combien elle méprisait cette emprise sur des jeunes cerveaux d'un crétinisme nouveau, à tendance religieuse, soudain se dressaient les croyants contre les athées, comme hier les Blancs contre les Noirs, c'était une campagne, disait-elle à Mélanie, pleine de méandres, de sinuosités, quelque simulacre de croisade où apparaissaient les figures du Bien et du Mal, des Bons et des Méchants, et à cette fin on abêtissait l'enfant jusqu'à lui présenter tous les saints du ciel tels des guerriers refoulant les âmes non croyantes, c'était affligeant, quant à cette crétinisation, Mère la voyait partout, dans la culture électronique, comment les tissus sains d'un cerveau aussi influençable que celui d'Augustino pourraient-ils ne pas y succomber ? Même Augustino, dont sa grand-mère admirait la finesse d'esprit, dévorait des yeux ces bandes vidéo où le dessin animé rapportait un dialogue sur la foi entre une tomate et un concombre dans un conte intitulé *Conte de légumes,* dialogue teinté de malveillance, d'où découlait quelque onctueux message sur les valeurs chrétiennes, si on ne pouvait laisser en paix le concombre, la tomate et les autres plantes potagères sacrifiées dans une campagne religieuse, que ne retrouverait-on pas un jour, disait Mère à sa fille, dans ce naufrage du matérialisme que tous avaient adopté, quelques heures après un désastre, on verrait dans des ruines, ces albums, jeux vidéo soudain désamorcés, sans leur jeune maître, on entendrait les messages faussés de leur fracas, mais de légumes comestibles, il n'y en aurait plus, car la terre serait rase, sans fruits, surgiraient ces objets tels des robots encore maniés par leurs créateurs, des Barbies isolées des mains des petites filles et se parlant seules, des Buzz et des

Woody jacasseurs, et le plus invraisemblable produit d'une invraisemblable civilisation foudroyée, ce qui eût touché le cœur de Mère, une sorte de poupée-puzzle dont la physionomie représentait Van Gogh, nanti d'une oreille détachable, c'est ce visage humilié, foudroyé lui aussi qui eût fait frémir Mère, celui d'un artiste dont de burlesques enfants détacheraient l'oreille du crâne, ce visage serait l'empreinte lui aussi de l'art assassiné par la bêtise, oui, pensait Mélanie, ses fils exigeaient, réclamaient et réclamaient encore ces extravagants cadeaux de l'abondance que bien souvent elle ne leur refusait pas, comme le faisait avec sévérité leur grand-mère, car depuis qu'ils avaient grandi, ses activités n'étaient plus aussi familiales, mais souvent sociales, politiques, elle savait que cette passion de défendre les opprimés, et surtout les femmes et les enfants, durcissait ses traits d'une volonté paralysante, la rendait moins désirable pour son mari, si délibérément active, elle chancelait souvent de fatigue, après un voyage, auprès de ses enfants, mais comment eût-elle vécu désormais sans cette stimulation intellectuelle, Mère avait souvent avoué à Mélanie n'avoir jamais trop aimé les enfants, c'était pourtant une grand-mère très responsable, déléguant à Marie-Sylvie, la gouvernante haïtienne qui avait remplacé Jenny, une partie de l'éducation des enfants et le soin d'une domesticité nombreuse et sa ménagerie de chiens et d'oiseaux, fière de l'engagement de Mélanie, Mère eût aimé qu'elle ne fût pas aussi altruiste, c'était une tout autre éducation de la jeunesse, disait Mère, que d'élever des petits-enfants, le souvenir de ses fils la mortifiait encore, marchant au bras de sa mère, dans le jardin humide de la rosée du matin, Mélanie exprimait sa grave inquiétude au sujet de Rafa, emprisonnée en Jordanie, dans l'attente du châtiment de l'un de ses frères, il lui semblait que sa mère comprenait tout de son désarroi, bien qu'elle fût silencieuse, lorsque Mai, Vincent accouraient vers elles, c'était pour demander à Mélanie combien de jours, cette fois, elle resterait près d'eux, Vincent absorbait-il son médicament toutes les heures, demandait Mélanie à Marie-Sylvie, était-il plus raisonnable pour les sports, surtout qu'on ne l'emmène pas en mer, et qu'on le garde dans sa chambre lorsque s'essoufflait sa respiration, Marie-Sylvie se taisait, pourquoi ce vague regard, cette absence, pensait Mélanie, puis soudain Mélanie allait retrouver Mai qu'elle déposait près de sa mère, maman, ne pars pas, disait Mai, oh, non ! disait Mélanie, les bras de Mai autour de son cou, toute une semaine, je ne vous quitterai pas, ils iraient tous dans les hautes vagues de la mer, elle embrasserait leur front sous leurs cheveux mouillés, Augustino, Mai, quand Vincent, lui, serait sous la surveillance de Marie-Sylvie, debout à ses côtés, dans le jardin, le temps de ces tendres abandons auprès des petits, Mélanie se reprochait de céder, dans sa défense des femmes opprimées, à des pulsions aussi égoïstes que généreuses, n'était-elle pas aussi secouée que cette mer changeante dans laquelle elle se débattait avec ses enfants dans une sensuelle douceur, secouée, agitée, elle aussi souvent changeante, un jour, une femme comblée, heureuse, le lendemain, désespérée pour celles qui ne survivraient pas à l'oppression des hommes ? Et me voici à Venise, pensait Jean-Mathieu, dans l'embarcation qui le menait à son modeste hôtel au bord de l'Adriatique, me voici enfin chez moi comme le fut Stendhal à Rome, à Naples, à Florence, Caroline ne m'a ni téléphoné ni écrit avant mon départ, et ce cher Frédéric au corps décharné dans sa robe de chambre, il ne se lève plus qu'une heure par jour, maintenant, quand Juan et Edouardo font sa toilette, c'est avec peine qu'il traîne dans son jardin sous la tonnelle des acacias où Edouardo lit pour lui les journaux, allume ses cigarettes, seuls ses yeux sont alors rivés sur nous, dans la tristesse du visage émacié sous une barbe grise, pelage miteux de la vieille bête aux portes de l'agonie que sera bientôt mon ami, et tout près, là-bas, c'est le palais des Doges où je reverrai les œuvres de Véronèse, ce fut là sans doute l'emballement qu'éprouva Stendhal à découvrir l'Italie, tant d'œuvres d'art, et voici le troisième pont sur le canal d'où je verrai le soleil couchant en pensant à ces œuvres de Titien, à tout ce que j'aurai aperçu le jour des palais médiévaux, il faut se souvenir que tous les héros de Stendhal dédaignaient le tendancieux pouvoir de l'argent, Jean-Mathieu se demandait s'il avait bien avec lui ses carnets, ses notes, oui, les notes étaient en ordre, dans cette mallette que tenait Jean-Mathieu sur ses genoux, Caroline eût apprécié qu'il n'eût pas oublié son écharpe bleue et ses gants, pour le voyage, quand sur l'eau la température était souvent fraîche, et quelle nostalgie éprouvait Jean-Mathieu pour ces paquebots sur lesquels il avait écrit, toute sa jeunesse, lui le riverain des océans et des mers, depuis sa naissance à Halifax, déjà enfui l'âge romantique des grands navires aménagés pour le transport des passagers, d'une cabine de ces bateaux que n'avait-il vu, écrit sur la nature des hommes, voici l'escalier de l'*Île-de-France* d'où descendait Marlène Dietrich, il y a près de deux siècles, un minuscule bateau partait de Liverpool avec ses six passagers, qui aurait pu prédire que ces domaines traverseraient les mers, l'*Île de France*, le *Lusitania*, ses ter-rasses, l'*Arctique* fendant les glaces, le *Mauritania*, le *Kron-prinzessin*, sa cargaison d'or et de millionnaires, tant de palais flottants, de salons renversés par les tempêtes, les cyclones, ces mêmes salons qui avaient connu aussi le recueillement des mers apaisées, des soirées de fêtes musi-cales, tous les conforts n'étant offerts qu'à une classe domi-nante, les autres n'étaient que de service, les salles à man-ger et les salles de fêtes, des œuvres d'art imposantes partout sur les murs, les plafonds, l'apparition de l'art nouveau, des boudoirs tels des sanctuaires pour les fumeurs où les femmes longtemps ne furent pas admises, l'*Aquitania* semblable à une cathédrale, les couples distin-gués des danseurs en blazers et pantalons de toile blanche, les femmes toujours coiffées de leurs chapeaux dans la pre-mière classe du *Southampton,* le foyer du *Majestic,* un jar-din de palmiers sous la voûte de cristal du foyer, le *Levia-than* et ses habitués de Newport, habillés de leurs smokings comme s'ils étaient encore chez eux, le *Homeric* confortable comme une maison anglaise, ses fauteuils de cuir noir, les scènes florales, équestres de ses tableaux, le *Bremen* dont on disait au féminin pour lui rendre hom-mage qu'elle brillait comme une planète, le début de l'art déco dans la loge principale du *Queen Mary,* soudain ce fut l'heure du dernier voyage, d'un inexplicable silence au fond des mers, tels ces énigmatiques silhouettes, ces paquebots, ces bateaux, disparus aussi ces poètes dont Jean-Mathieu avait écrit la biographie, les jeunes John Keats, Thomas Chatterton, Keats qui écrivait des sonnets depuis son enfance, celui dont le nom serait écrit sur l'eau comme il l'avait lui-même écrit dans son épitaphe, quelle désolation que ces odes, ces méditations lyriques aient eu si peu de temps pour fleurir, comme Jean-Mathieu, dès son plus jeune âge, Chatterton ne s'était-il pas engagé sur un navire marchand dans le but d'aller écrire à Londres, là-bas, il serait connu, illustre, le navire fit naufrage, que de rêves, d'odes à la beauté, à la vérité, dans ces têtes que les anges couronneraient avant les hommes, la vie d'écrivain de Jean-Mathieu commencerait à Londres, Chatterton se suiciderait à l'arsenic dans cette même ville, avant sa dix-huitième année, pauvreté, misère, que de noms de poètes maudits écrits sur l'eau, tordus par la crête des vagues, écumes d'or, de feu, pensait Jean-Mathieu, Chatterton, Keats, Jean-Mathieu ne les avait-il pas aimés comme ses fils pendant qu'il écrivait leur biographie, et que penser du fils élu, celui que Jean-Mathieu n'appelait que Dylan, dont il avait tracé le plan d'une biographie, mais comment écrire ce livre, quand Jean-Mathieu avait conversé avec Dylan, l'avait connu vivant, Dylan dont il était inconsolable, Dylan, la fierté de l'école de son village, jadis, de sa chambre, lui aussi avait vu la mer, quand donc Dylan avait-il écrit, le temps me garde vert bien que mourant, vert, vivant, c'était sans doute l'évocation du vert printemps de 1930, quand d'avril 1930 à avril 1934, entre les âges de seize et vingt ans, comme Chatterton, Dylan avait écrit deux cent douze poèmes, on lirait plus tard ces poèmes dans la revue de la petite école du village, sur des papiers dans les pubs, les tavernes ; chevelure bouclée, lèvres pulpeuses, il était l'adorable enfant des lettres de son pays, les vents d'Écosse humectaient ses cheveux, ses rondes joues rouges, irrésistible, ses compagnons l'adoraient, très tôt, les femmes le désiraient, l'aimaient, la géographie de l'amour, écrivait-il, *The Map of Love*, c'était peu de temps avant la Seconde Guerre mondiale, géographie de l'amour, dans un monde haineux, commettant des génocides, et cette publication du poète si peu réaliste, géographie de l'amour ; cette vue qu'on avait de la mer dans cette maison de pierre de Laugharne sur la falaise, il y eut une seconde maison-retraite qu'on appelait maison-bateau, à Laugharne, c'est là-bas qu'il eut ses enfants, aima sa femme avec ardeur, fumant sans arrêt, sa chaise contre le mur, Dylan, qui comme Chatterton en vint à se tarir dans les mêmes anxiétés matérielles, souvent dans le même désespoir, en jouant au jeu Chiens et Chats il se casse un jour une dent, cette dent est le signe de sa détresse intime, de son insatisfaction intérieure, comment ne l'a-t-on pas senti autour de lui ? La santé, la beauté de Dylan ne sont plus, le peintre Mervyn Levy dessine en noir ce profil hier magnifique, celui du chérubin de l'école de son village, dans ce dessin, la figure est charbonneuse, les lèvres se crispent sur une cigarette, le poète semble passer du côté de la nuit, il boit et fume avec excès, songe à partir pour l'Amérique, pourtant c'est pendant une lecture d'œuvres à New York que Jean-Mathieu le verra pour la première fois, quand avec cette figure charbonneuse, meurtrie, le poète vient de passer du côté de la nuit, le poète écrit, écrit, ce qui l'exalte encore, ce sont sa colère, son indignation, quand ses jours sont comptés, ou le sont-ils, l'Amérique, New York ne seront-ils pas sa survie, *Rage, rage against the dying of the light*, écrit-il, qui n'avait pas entendu sa voix rêche dans les universités, les théâtres, les musées, où inlassablement il avait lu *Rage, rage against the dying of the light*, quand donc Jean-Mathieu l'avait-il invité à venir se reposer chez lui, mais à tout gracieux accueil Dylan préférait sa liberté à l'hôtel Chelsea ou dans les bars, tavernes, pubs où il irait écrire seul dans la foule, lors de sa troisième traversée vers l'Amérique, il est endetté, troublé, anxieux, souffre de différents maux, il ne cesse pourtant de lire partout sa poésie, n'entendrons-nous pas sa voix jusqu'à la fin, *Rage, rage against the dying of the light,* il s'éteint à New York, pendant sa trente-neuvième année, il avait dit à une amie, je veux aller au jardin de l'Éden où je serai si bien, corps et âme, pour être à jamais inconscient, n'avait-il pas déjà sombré dans cette inconscience, ce coma de l'alcool, était-ce là l'inavouable désir de cet enfant déraisonnable, ce coma qui allait durer cinq jours et cinq nuits à l'hôpital, le 9 novembre, il nous quittait, le soir, la nuit couvraient ses lourdes paupières, il n'allait pas même reconnaître sa femme lorsqu'elle viendrait à son chevet, il ne reverrait plus son petit garçon, Jean-Mathieu était parmi ces quatre cents personnes rassemblées dans l'église épiscopalienne de Saint-Luc, pour le service funéraire à New York, sa femme, jeune veuve éplorée, ramena le corps de Dylan au cimetière de l'église Saint-Martin à Laugharne, était-ce dans ce cimetière que, jeune homme, Dylan s'était enterré dans les feuilles jusqu'à la taille, vert, jeune, vivant, en ce temps-là, il y avait eu cet hymne, *À jamais près de Dieu,* et plus rien, car la voix de Dylan s'était tue, au pied des montagnes, des falaises, à Laugharne dans les vents, les pluies de novembre, désormais le nom du poète est gravé sur une croix blanche, il est là-bas, tout près des fermes, dans la vallée : des poètes contemporains que Caroline avait photographiés, c'était la figure du poète de la trente-neuvième année, prise en ce mois de novembre d'un automne qui, pour Dylan, serait sans hiver ni printemps, c'était cette photographie du poète enchaîné à son supplice, comme si on l'eût attelé à un arbre, à toutes les ramifications du cauchemar qu'il avait longtemps porté, le tirant vers l'avant, c'était cette image que Jean-Mathieu conservait encore, Chatterton, Keats, Dylan, leurs noms à tous écrits sur l'eau, Jean-Mathieu vit le batelier inclinant la tête sous l'arc d'un pont, l'une de ces hirondelles étourdies n'avait-elle pas effleuré sa tempe, pendant qu'il s'attristait dans ses souvenirs, me voici à Venise, pensait Jean-Mathieu, sur le murmure des eaux que le batelier, de son aviron, soulevait en cadence. Polly déviait seule du chemin de Carlos, humant les senteurs de la mer dans son poil ébouriffé, où était-il donc, qu'avait-il donc fait, Polly, Carlos, indivisibles, disait Mama, en passant par le parc où s'attroupaient les aigrettes, n'avait-on pas accès aux rues Bahama, Esmeralda, à Mama, aux odeurs de la cuisine, à l'écuelle toujours pleine dans la cour, dormaient sous des planches pourries les recluses araignées brunes, dont les pattes injectaient un venin, que ce chemin semblait peu familier sans Carlos, aurait-il été là que Polly eût emboîté le pas, le long de la rue, il aurait dit, cours, elle aurait bondi telle une flèche, ou suis-moi, elle eût marché à sa gauche, la tête près de sa jambe, elle se serait arrêtée en même temps que lui, exécutant tous les ordres de Carlos, lorsqu'il ne la rabrouait pas, il l'avait dressée, souvent d'une prompte traction du collier ou de la main, eût-il été là qu'elle n'eût pas fouillé dans les poubelles, il lui eût donné à boire et à manger, ils auraient nagé ensemble dans la mer, ces os de volaille dans les poubelles, leurs pointes acérées, quelques coquilles d'œufs, si Carlos eût été là, Polly n'eût jamais connu la faim ni la soif, indivisibles, inséparables, Carlos, Polly, Carlos, Lazaro, dans la lumière, la foudre, les bruits stridents d'une ambulance à midi, Carlos, Lazaro, la montre Adidas de Lazaro, ces scènes étaient dans le porte-bagages d'une bicyclette, son maître coquet l'ayant plaquée pendant des heures devant une épicerie, ensuite un établissement de bronzage, je reviens tout de suite, disait-il, c'était un maître vaniteux aux cheveux en brosse, il avait noué à son cou un collier aussi ajusté qu'une lanière, il ne cessait de dire, ce jeune maître coquet, qu'il aimait Polly, ses poils roux, ses yeux frémissants, après la séance de bronzage, il serait sombre et luisant sous sa camisole claire, Polly regardait les nuages statiques dans la chaleur du ciel, enroulée dans une serviette de bain, elle entendait les battements de son cœur, son destin serait-il inéluctable comme pour tant de chiots abandonnés dans des porte-bagages, un jour Polly n'eut plus à attendre son jeune maître coquet devant les magasins, les boutiques, les établissements de bronzage, c'était le jour où Carlos avait enfourché la bicyclette, partant au galop, avec Polly dans le porte-bagages, Polly qui ne jappait plus, respirait à peine, dès ce jour-là, ils seraient inséparables, Polly, Carlos, indivisibles, disait Mama, avant que Carlos, Lazaro, inséparables eux aussi, ne devinssent des ennemis, des rivaux sans pitié, Polly haletait de soif, cette route menait-elle vraiment aux rues Bahama, Esmeralda, n'y aurait-il pas un bol d'eau quelque part sous les arbres, là où les aigrettes attroupées picoraient dans l'herbe pâle, à l'ombre de palmiers, ces nuages statiques dans le ciel chaud, Polly les avait vus pendant qu'elle s'ébrouait dans les vagues avec les lévriers, que leur maître content s'écriait, soyez les premiers, rapportez le ballon, peut-être son destin serait-il moins inéluctable sous ces nuages, retrouverait-elle bientôt Carlos, Mama, les odeurs de la cuisine, l'écuelle dans la cour où sommeillaient les araignées recluses sous des planches crasseuses, c'était à cause de la négligence de Carlos, ces planches dans la cour, disait Mama, de même que la vieille glacière qui n'avait pas été réparée et qu'on avait mise dans la cour, toujours la négligence de Carlos, disait Mama, qui n'écoutait jamais ses parents, mais était-ce bien cette route qu'il fallait suivre, et comment être seule si longtemps, marcher jour et nuit le long de la mer et dans les rues, sans Carlos, quand Mama répétait sans cesse que Polly, Carlos étaient inséparables? Ici, aucun prédateur ne doit venir, pensait Vénus, mais ne rôdait-il pas autour de la maison en bois de cèdre, le gardien, cet homme dont Vénus avait toujours désapprouvé la présence auprès de son mari, Richard, Rick, comme l'appelait le capitaine, ne le voyait-on pas se promener tout le jour, torse nu, autour de la maison, il conduisait la Lincoln Navigator du capitaine comme si cette voiture fût à lui, il avait l'œil bleu froid, pensait Vénus, le regard torve, lorsqu'il disait à Vénus que s'il n'avait pas encore quitté les lieux ni remis les clefs de la propriété à Vénus, c'est qu'il avait l'intention de la protéger comme le lui avait demandé le capitaine avant sa mort, une jeune femme noire ne pouvait vivre seule sur ces hectares de jungle au bord du canal, moi je peux, disait Vénus, mais le régisseur sans scrupules ne partait pas, il voulait être là, disait-il, pour le bazar, la fête de charité de Vénus, lorsque Vénus vendrait des meubles, des tableaux, Vénus craignait que ce Rick n'eût déjà l'idée de voler ces tableaux, ces meubles du capitaine, qu'il fût un dangereux

négociant, un voleur, non, ici, pensait Vénus, aucun prédateur ne devait venir, elle ne serait entourée dans cette
maison que de son teckel, de son iguane, est-ce que je ne
peux pas monter la garde, disait Richard, pendant que
Vénus lui interdisait l'entrée de la maison, tu peux être en
sécurité avec moi, Williams l'a toujours dit, pourquoi
toutes ces simagrées, Vénus, je connais ton passé de fille
escorte au Club mixte, que signifie pour toi un homme
de plus ou de moins dans ton lit, même si ce lit est celui
de la fornication du capitaine, dis-moi, ce mariage a été
de courte durée, ton vieux mari a succombé à quelque
attaque d'un adversaire en mer, quelle chance pour toi,
Vénus, qui hériteras de sa fortune, de tous ses biens, allons,
laisse-moi entrer, non, dit Vénus qui repoussait Richard en
étendant les bras devant lui, il sentit qu'elle avait peur, des
gouttelettes de sueur ruisselaient au cou de Vénus, il rit
méchamment puis s'éloigna en grognant des insanités à
son cellulaire, je t'aurai un jour, disait-il, Vénus pensa que
cet homme était la tache de la honte, dès qu'elle le voyait
tourner autour d'elle, elle éprouvait un sentiment d'indi-
gnité qui l'avait humiliée jadis lorsqu'une vendeuse dans
l'île avait appelé les policiers pour un peu de sang versé sur
une robe que Vénus avait essayée, le sang des menstrua-
tions sur la robe de dentelle noire, malheureuse qui ne
porte aucun sous-vêtement, cette fille a abîmé ma robe de
cent dollars, criait la vendeuse, que de cris, de malédictions
pendant que Vénus filait vers la rue, il faut l'arrêter, Vénus
eût été séquestrée ce jour-là par deux policiers dans leur
voiture si une femme ne l'avait secourue, ne l'accablez pas,
elle n'a rien fait, avait dit la femme aux policiers, Vénus
avait pleuré d'humiliation, ce sang sur la robe était d'un

rouge presque noir, c'était la tache de la honte, pourquoi n'avait-elle pas déchiré la robe en lambeaux, griffé de ses ongles aux pointes aiguës le visage de la vendeuse, par quelle bassesse Vénus avait-elle pleuré, elle qui ne pleurait jamais, ne baissait jamais la tête devant les Blancs, et soudain elle avait vu rouler à bicyclette une pauvresse de la rue Bahama, par quelles intoxications son corps était-il convulsé, la fille riait, la tête secouée sous un chapeau de paille retenu par deux rubans sous son menton, allô, Vénus, marmonnait-elle, te souviens-tu de moi, Vénus, Vénus vit la peau véreuse des bras, des jambes de la pauvresse, j'étais avec toi au Club mixte, te souviens-tu, Vénus? Il y avait aussi cette éruption de marques sur le visage de la fille, les marques de la vérole peut-être, des cicatrices syphilitiques, ces marques étaient celles d'une maladie dont ne guérirait pas la pauvresse, avait pensé Vénus, par quel malheur l'avait-elle croisée, rue Bahama, Vénus, la pauvresse de la rue Bahama, avaient été escortes ensemble au Club mixte, Vénus était saine et belle, quand la pauvresse de la rue Bahama n'avait peut-être plus que quelques mois à vivre, la pauvresse de la rue Bahama ne semblait pas avoir de famille, quand Vénus était la fille du pasteur Jérémy et de Mama, quel miracle avait ménagé Vénus, encore saine et belle, quand la pauvresse de la rue Bahama, pensait Vénus, se perdait dans les rangs de ces six mille jeunes filles, enfants du Kenya, qui eût songé à ces pauvres et pauvresses, à l'épidémie qui les décimait à Nairobi, ce coin de la terre en était infesté, avec ses rats, dans les cabanes, les bars de Majengo, les chambres louées pour une heure dans les hôtels, six mille pauvresses vendaient chaque jour leur corps, les unes étaient des mères sans ressources, l'état d'alerte avait été déclaré, tant de noms avaient été écrits sur le Registre de la mort, bientôt on y verrait les noms des six mille jeunes filles travailleuses aujourd'hui dans des bordels où venaient vers elles des hommes qui leur disaient, pas de préservatifs pour nous, c'est comme offrir une sucrerie qui ne contiendrait pas de sucre, ou vous proposer de manger un bonbon dans son enveloppe de papier, ces mots que Vénus avait entendus tant de fois, dans les bars, les hôtels, dans ces chambres de l'illicite amour louées pour une heure, pour ces pauvresses du Kenya, comment éduquer ces hommes qui les achèteraient à si bas prix, dans des taudis, ne disaient-ils pas, c'est une farce, les condoms, une blague que vous nous racontez, si les filles meurent par centaines ici, leurs enfants peu de temps après, c'est que sévit une épidémie de tuberculose, ou c'est un sort de nos sorciers, ou le dard de nos moustiques, bien qu'ils fussent tous témoins, ces hommes, de la lente bombe qui germait sous la terre de Nairobi, oui, pensait Vénus, Richard qui réveillait tous ces fantômes de la honte devait partir, Rick, ses railleries, ses sarcasmes, il évoquait pour Vénus le défi ancien, la lutte sans relâche de leurs deux races que Vénus avait oubliée auprès du capitaine, qui l'avait conquise dans d'agréables mollesses, une maison, près de l'océan, la Lincoln Navigator, sa femme, son enfant, disait-il, mais le défi ancien était toujours là, voilé par les plaisirs de l'amour, l'ombre du prédateur toujours avide de vous circonscrire, vous maintenant dans la subordination, Rick ne l'attirerait pas dans ses pièges de la séduction, pensait Vénus, le capitaine ne dormait jamais sans un revolver sous son oreiller, on ne sait jamais, disait-il, l'arrivée de quelque ennemi invincible dans l'archipel, une barque de vagabonds dans les mangroves, un officier des mœurs déguisé en pêcheur, quelque détective en civil qui décide de balayer les côtes, les marinas, d'une invasion, la nuit, il faut se méfier de tous, être prudent, disait le capitaine, fumant sa pipe, une main dans les cheveux de Vénus, ces cheveux dont les tresses courtes, crépues, remontaient vers le front, Williams décrivait à Vénus ces opérations de nettoyage, de ramonage, ces opérations éclair, qui leur faisaient tellement de tort, souvent il lui parlait ainsi, la veille d'un départ subit dans son hydravion pour les Bahamas, en ces temps incertains, il faut toujours avoir une arme dans la maison, disait-il, et Vénus admirait la hardiesse de ce mari aventurier qui ne lui parlait jamais de ses occupations lorsqu'il était loin d'elle, comme elle eût aimé qu'il ne la quittât jamais, toutefois, qu'il fût encore près d'elle dans cette chambre, écoutant la rafale de ses rires puissants, le halètement de son souffle sur sa poitrine, Vénus regardait, suspendu au mur de la chambre, le tableau que le capitaine avait peint pour elle, le jour de leur mariage, dans ce tableau où les corps étaient soudés l'un à l'autre, Williams avait échangé la double couleur de leur chair unie, donnant à Vénus la blancheur laiteuse et rose de son teint lorsqu'il était en mer, sans le hâle érodant les traits, surtout chez un vieil homme, comme lui, disait-il, de cette blanche couleur de la peau de Vénus émanait la lumière du soleil, quand le capitaine se décernait à lui-même la peau noire de Vénus et son âme fauve, ainsi ne savait-on plus qui était l'un et qui était l'autre, disait-il, l'érotisme de ce tableau, sa fraîcheur, rappelait à Vénus combien elle avait été aimée, vénérée par cet homme sensuel et bon, et elle se répétait à elle-même, aucun prédateur

123

ne doit venir, bien qu'elle fût sûre d'avoir entendu les pas de Rick, derrière la baie vitrée, tu n'as rien à craindre de moi, disait-il, ma petite Vénus, pourquoi as-tu fermé à clef, pourquoi ne m'ouvres-tu pas? Je ne suis pas un vieil homme gris, moi, ouvre cette porte, ma petite Vénus. Cette rupture de toutes ces vies, pensait Renata, celles des fillettes, lycéennes, élèves du Club des langues, de leurs moniteurs, monitrices, l'entier équipage aérien, dans cette tragédie du vol 491, quand Renata et son mari étaient parmi ces juges rescapés attendus à une conférence à New York, leur avion ne s'étant posé que pour une escale, quelques heures à peine avant son écrasement dans les montagnes du Honduras, cette retombée de cendres, de vies, des vies aussi peu répréhensibles que celles des bêtes vouées à l'immolation, ruptures aussi dans des vies qui venaient d'éclore, qu'était-ce que tout cela, pensait Renata, sinon la pérennité d'un massacre des Innocents sur cette terre auquel nous assistions tous dans un lancinant malaise sans recours, elle se souvint de Franz dirigeant en Bosnie, tout près des noires façades d'immeubles effondrés, sous les obus, la *Grande Messe des morts* de Berlioz suivie de *L'Enfance du Christ,* pendant que la télévision transmettait en même temps que cette magistrale musique des images de cathédrales, de bibliothèques en flammes sous le regard ahuri d'enfants vivants qui auraient tout aussi bien pu être morts dans ce même brasier, on pouvait lire dans leur regard qu'ils étaient consumés eux aussi, avec les textes imprimés des bibliothèques et leurs auteurs, qu'on les immolait eux aussi avec ces travaux de l'esprit, on écoutait pourtant cette musique de Berlioz comme si elle fût dans sa substance, sa riche invention vocale et orchestrale, le triomphe de la vie, la victoire de l'amour sur le néant, était-ce la sensibilité de Franz, la tenue de son orchestre ou le jeu de ces voix sublimes des chanteurs dans le drame de Berlioz, on eût dit que même Hérode devant ordonner la mise à mort des enfants juifs fût frappé de la désolation d'avoir à verser tant de sang, que Marie en berçant son fils et en l'appelant mon doux enfant, que ces voix, ces chants étaient les chants, les voix d'un requiem multiple incluant jusqu'à ce massacre de Zenica et de ses enfants amputés par des mines souterraines, les médecins allemands ne fabriqueraient jamais assez de prothèses en fibres de carbone pour eux, lesquelles bien que coûteuses, perfectionnées ne remplaceraient jamais les jambes des jeunes invalides, seuls quelques amputés de Zenica y auraient droit, ceux qui marchaient dans la nuit sous les façades noires des immeubles de Zenica, ces enfants, leurs mères, ils étaient eux aussi de cette grande marche de la mort vers la vie, pendant que Franz dirigeait en Bosnie ces œuvres de Berlioz, la *Grande Messe des morts, L'Enfance du Christ*, quand pour le lancinant malaise de chacun, pensait Renata, la guerre était photographiée et que sonnait le cor du massacre. L'enfoncement graduel du sol de la lagune, pensait Jean-Mathieu, le retour des inondations, l'air pollué, tout contribuait ici à menacer les œuvres d'art, Véronèse, Titien, quel patrimoine demain dans l'ennoyage des eaux soudain disparu, et un 13 février Wagner mourait à Venise, c'était après son dernier opéra, *Parsifal*, peut-être était-ce à quelques pas de cette pension de famille où je suis, le plus mystique de ces opéras de Wagner fut créé à Bayreuth pendant l'été 1882, eut-il l'intuition que ce serait son dernier opéra, ténébreuse, cette date du 13 février, où

Wagner mourut à Venise, et pourquoi suis-je importuné par cette pensée du dernier opéra de Wagner, serait-ce parce que Caroline et moi en avons vu une splendide représentation, ensemble, à Zurich, ou était-ce à Boston, il y eut une époque où nous possédions tous les deux cet art de voyager, et tout en emplissant de sa noble écriture calligraphiée son carnet de voyage, Jean-Mathieu redevenait maître de sa vie, pensait-il, ce souvenir de Caroline n'était pas sans le chagriner un peu, Jean-Mathieu appréciait cette confidentialité du carnet de voyage, du journal intime où l'âme peut frayer seule ses dédales, tout en se réconfortant aux lueurs du soleil qui se couche sur l'eau, sous les battants d'une fenêtre, quand partout grouillait le tapage de la vie, voix des jeunes gens dans la rue, les restaurants qui s'allument avant l'heure du dîner qui sera servi très tard, les cloches lentes, mélancoliques des églises, cette tapisserie de sons diffusait sa chaleur, sa clarté, pensait Jean-Mathieu, autour de l'homme qui écrit, à l'écoute de cette nuit qui l'enveloppera bientôt de son humidité marine, car cette humidité était si épaisse que l'étoffe de laine de l'écharpe bleue en était déjà trempée, sur les épaules de Jean-Mathieu, la toile des draps en était imbibée, et Jean-Mathieu n'entendait-il pas, comme par les hublots d'un navire, l'eau contre la coque, son clapotis, demain, en se levant tôt, telle était son habitude, verrait-il comme hier auprès de Caroline, avec le même émerveillement, cette *Allégorie de la jeunesse et de la vieillesse* de Paolo Véronèse, désormais, il fallait en convenir, ce qui avait été allégorique, symbole de plaisirs immédiats, de lointaines attentes, ne l'était plus, on s'intégrait à l'image pour incarner cette Vieillesse isolée de sa contrepartie vivace, la Jeunesse ; ne constatait-on pas quand même, devant ce tableau de Véronèse, pensait Jean-Mathieu, que cette vigoureuse Jeunesse telle que l'avait peinte le peintre allait bondir hors de son cadre, impatiente, elle allait foncer vers tous les plaisirs de la vie, dommage que Jean-Mathieu en ressentît encore au fond de lui-même le mouvement réfréné tout en contemplant cette autre allégorie qui n'en était plus une, celle de la Vieillesse, dont on dit qu'elle est la période ultime de la vie, pourquoi le serait-elle quand les capacités intellectuelles de Jean-Mathieu ne déclinaient pas, quand jamais il n'avait autant écrit, ne se sentait-il pas mieux que Caroline, qui ne se plaignait d'aucune sénescence mais d'un peu d'affaiblissement de la mémoire, si elle avait voyagé au côté de Jean-Mathieu, elle eût choisi d'aller voir, elle dont les sens étaient plus païens, ces grands festins bibliques qui vous remettaient en appétit, n'eût-elle pas dit, mon ami, pourquoi m'avez-vous amenée ici, cette *Allégorie de la jeunesse et de la vieillesse,* c'est si triste, ce que j'aime surtout chez Véronèse, ce sont les espaces derrière les personnages dans lesquels il met toute une mythologie, on dirait une mise en scène architecturale, il y a tout un théâtre, un jeu d'illusions qui se confond avec l'espace véritable et cette lumière rouge qui envahit tout, mais ces conversations à Venise, dans les musées, les palais avaient été abolies depuis longtemps déjà, entre Jean-Mathieu et Caroline, sans doute parce que Jean-Mathieu sans le vouloir était devenu pour Caroline l'allégorie trop nettement accomplie dans la réalité de cette Vieillesse du tableau, avec sa canne et tous ses maux, quand Caroline disait qu'elle était toujours jeune et sereine, telle l'allégorie de la Jeunesse, et bien que le tintamarre de la vie régnât dans la ville, que ce fût l'heure de s'habiller pour aller au concert, Jean-Mathieu songeait qu'il serait sage de rentrer s'étendre sur son lit aqueux de la pension et d'y attendre le sommeil, car s'humidifiaient aussi les feuillets du carnet de voyage, du journal intime, se liquéfiait aussi dans les eaux de l'atmosphère l'écriture calligraphiée sur le papier, et cette phrase que Jean-Mathieu avait écrite le lendemain, très tôt, l'*Allégorie de la jeunesse et de la vieillesse* de Véronèse, et bien que les draps fussent humides, trempés par l'air du soir, ce soir encore rouge au-dehors comme l'était le jour dans les tableaux de Véronèse, Jean-Mathieu était de ces privilégiés qui auraient ce soir un lit, dans une pension de famille italienne : il semblait que ce fût hier que le jeune apprenti marin s'était contenté de dormir sur une passerelle de bateau, pour mieux observer les étoiles, mais la jeunesse avait-elle besoin de dormir ? Et celle que Samuel avait surnommée la Vierge aux sacs, l'enfant illettrée qui tenait sa Bible ouverte sur ses genoux, répétait aux passants qui ne l'écoutaient pas, eux qui accouraient vers les magasins avant leur fermeture, oui, vous serez témoins de ces sept plaies d'Égypte, ici, dans la ville de New York, car c'est écrit dans le Livre de Dieu, peu de temps après la nouvelle lune, la terre tremblera sous vos pieds, mes parents qui sont partis vers la Terre sainte vous ont confiés à moi, vous qui êtes de plus en plus avides des biens de ce monde, quand vous avez tout, vous voulez encore plus, ils m'ont dit de semer sur vous le grain de la Parole de Dieu, mes parents qui sont partis, dépouillés, vers Jérusalem, eux verront sortir de la terre une Arche et ses huit anges, ce jour-là, lorsque vous ouvrirez vos robinets, l'eau se changera en sang, ce sera pendant l'équinoxe, car tout est écrit de ces dévastations dans le Livre de Dieu, pourquoi ne me croyez-vous pas, mes parents sont en Galilée où ils verront avant moi l'Arche surplombant la terre ouverte et ses huit anges, et vous qui ne priez pas, vous subirez l'épée de feu des séraphins, mes parents m'attendent là-bas dans la plaine de Jezréel, et pendant trois mille ans nous vivrons dans la félicité du paradis qui nous est promis à tous, oui, ils m'attendent là-bas, dans la nouvelle Jérusalem, mais en attendant de les revoir, oui, mes chers parents, où vais-je dormir ? Papa, maman, je serai bientôt près de vous, loin de cette terre des démons où personne ne m'offre l'hospitalité pour la nuit, car comme vous, papa, maman, j'ai entendu la voix de Dieu, celle du tonnerre qui dit, repentez-vous, car ils auront peur devant ces fléaux ; la prophétesse ramassait ses jambes sous les plis de sa jupe écossaise, pendant que roulait sur le trottoir sa Bible, vais-je dormir dans l'entrée des magasins ou dans un jardin public, parmi les fleurs, Dieu seul est mon repos, Jésus seul est ma vérité, pourquoi ne m'écoutent-ils pas, où vont-ils tous sans me voir ? Dans quelques heures, la Vierge aux sacs ne serait qu'une mince silhouette s'évanouissant dans la nuit, de tous ces visages entrevus aujourd'hui, certains la narguant de leurs airs méprisants, elle se souvint de la femme lui offrant à boire un coca-cola dans la chaleur, qu'elle fût bénie, pensait-elle, et de ce jeune homme arrogant aux longs cheveux lui criant au volant de sa voiture, mensonges, que tout cela, mensonges, tout ce que tu dis, tu ferais mieux de retourner à l'école, ce visage de Samuel, la Vierge aux sacs le rejetait dans la nuit en crachant de dépit dans la poussière de la rue, ce garçon ne verrait jamais Dieu, quand pour la Vierge aux sacs toutes les étoiles resplendiraient bientôt pour elle seule dans le ciel. Que de brutalité dans la rupture de toutes ces vies, pensait Renata, car pendant que l'on recueillait les victimes calcinées du vol 491 dans les montagnes du Honduras, si près de la piste de l'aéroport, quelques juges, magistrats, dont Renata et son mari, tous rescapés d'un désastre qui n'avait épargné qu'eux, débattaient de la peine capitale, dans la salle de conférences d'un hôtel de New York où ils étaient assemblés, Renata, Claude, quelques autres de plus en plus rares, s'opposant dans la fermeté de leurs convictions à l'existence de cette peine, d'autres juges affirmant dans des élans de colère, parfois de fureur, que le vrai sujet de ce débat, de cette réflexion, c'est que l'on eût abaissé à seize ans, pourquoi pas à quinze, l'âge de la peine de mort pour les accusés de délits criminels, car à quoi peut donc servir cette fonction de rendre la justice dans notre société sans une sanction afflictive, définitive de ces délits commis par des enfants, il n'y aura jamais de fin à tous ces crimes perpétrés dans les universités, les collèges, nul ne pourra désormais vivre en sécurité dans les lieux publics de sa ville, de son pays, la fièvre du crime était contagieuse, communicative, incarcérés dans nos centres de détention, qu'ils soient en Arkansas ou au Mississippi, ces jeunes tueurs ne sont que trop protégés, ils écrivent à leurs mères qui viennent les visiter le dimanche, comme s'ils n'étaient punis que pour de légères infractions, maman, viens me voir, viens me chercher, maman, moi qui n'ai que onze ans, pourquoi suis-je ici, et leur mère peu lucide ou abasourdie par le choc ne leur dit pas, parce que tu es le plus jeune assassin de ce pays, mon enfant, dix de tes camarades de classe sont morts à cause de toi, leurs professeurs aussi furent traversés par des balles, leur mère leur dit, tu as maigri, mon chéri, tu as le teint pâle, tes lèvres sont crevassées par la déshydratation, et eux répondent, je n'aime pas le lait, maman, moins encore le Kool-Aid qu'on nous sert ici, ces mères ne voient en leurs fils assassins que terreur et égarement, maman, viens me chercher, elles n'entendent que ces supplications enfantines, mon fils, disent-elles, ces mères, chantait dans la chorale, mon fils ne peut pas expliquer ses gestes, si jeunes, attendrissants, ces criminels qui demandent à leurs parents qu'on les ramène à la maison, cette maison mobile où les attendent le chat Tigre à la queue coupée, le cochon d'Inde dans sa cage, ces mères sont si naïves, mon fils a pleuré, disent-elles, n'est-ce pas la preuve que mon fils a des remords, soyez cléments pour lui, c'est qu'en prison ce même fils a demandé qu'on lui remît la Bible en même temps que son hamburger du dîner, lequel lui sera refusé, ces garçons suaves pleurent, gémissent, je veux maman, je veux maman, et l'officier, le shérif se laissent émouvoir en répétant ces paroles, il veut sa maman, il veut pouvoir retourner à la maison, mais où étaient ces pères, ces mères, ces shérifs à l'heure de la fusillade, n'avaient-ils pas entendu la veille ces mêmes enfants s'écrier d'un ton vengeur, demain vous verrez bien qui, parmi vous, écoliers, écolières, et toi, Candy, fillette qui a ri de mon amour pour toi, vous verrez tous qui, d'entre vous, vit ou meurt, car des rivières, des fleuves de sang couleront, et toi, Candy, le premier tir sera pour toi qui te moquais de moi, tu verras, et ce fut vrai, Candy reçut la première balle à l'abdomen et fut tuée sur le coup, allons-nous ouvrir des orphelinats pour ces épris des armes qui dès leur cinquième année jouent avec des pistolets en plastique pour, à onze ans, être maîtres d'engins plus sophistiqués de la tuerie? Allons-nous les couver, les mettre à l'abri, pourquoi ne pas leur permettre de regarder des jeux vidéo d'une violence extrême pendant qu'ils sont dans nos centres de détention préventive? Ces pères, ces mères, ces officiers, ces shérifs n'avaient-ils pas remarqué que ces garçons étaient déjà des nazillons portant sur leurs blousons rouges le signe caractéristique des Bloods, d'autres, dans leur combinaison militaire, racontaient en classe leurs exploits de tir à la chasse, un couteau à la ceinture, n'essayaient-ils pas leurs armes dans la cour de la maison, les parents et les grands-parents n'ont-ils pas été témoins de ces scènes que l'on peut revoir indéfiniment sur la vidéo familiale, le futur jeune tueur de ses camarades est déjà si perfectionné au tir que la maison de ses parents, de ses grands-parents contient toutes ces têtes de chevreuils qu'il a rapportées de ses chasses, ces parents qui encouragent leur fils à entreprendre des cours de karaté, oui, mais il jouait de la flûte à l'école, dans l'orchestre, dira leur mère, à son bulletin, toujours la mention A, il aimait le chant, l'éducation physique, on l'avait récemment inscrit à une équipe de football, en apparence des élèves normaux, mais qui ont déjà abusé de leurs cousines, de leurs sœurs de trois ans, ils ont déjà volé dans les supermarchés, depuis longtemps ils se préparent à l'embuscade où plusieurs fillettes de leur cours d'art dramatique seront tuées avec un calibre 38, un Magnum 357, et ces accusés diront ensuite, viens me chercher, maman, je n'aime pas le lait ni le Kool-Aid, le lait, le Kool-Aid, le gardien ne peut-il pas leur apporter une pizza pour le repas du soir, mais ces petits, feignant l'innocence, ne demandent pas de nouvelles des victimes de leurs fusillades, en moins de dix minutes, Candy, Stéphanie, Nathalie, tous les autres, couleront des fleuves de sang, Candy, tu verras qui, parmi vous, vivra ou mourra, ces jeunes accusés sont des monstres, l'un a assassiné sa mère à Vancouver, l'autre, trois de ses camarades au Kentucky, seul le spectre de la peine capitale pourrait effrayer un peu ces esprits destructeurs, et nous, que faisons-nous, shérifs, officiers, et aujourd'hui, pendant cette conférence, nous, avocats, juges, nous les escortons, ces enfants, comme s'ils étaient de macabres acteurs dans une pièce, nous les emmenons vers nos centres de détention, cachés sous des voiles noirs, les couvant comme le ferait leur mère dont la conscience fut aveuglée, ces criminels qui s'ennuient de leur maman, de la fontaine, dans le jardin, de leurs petites sœurs qu'ils ont violées, car dans ce jeu théâtral de nos jeunes acteurs, même pour ceux qui sont désignés comme étant du groupe des Bloods, le sang n'a ni couleur ni odeur, nous les escortons, sous des voiles noirs, les couvons, afin que leurs inconsolables familles continuent de ne rien voir, de ne rien sentir, à combien de cérémonies d'enterrement d'élèves, d'étudiants, devons-nous assister avant que ces criminels qui ont aujourd'hui onze, douze, treize ans, lorsqu'ils auront atteint l'âge de seize, de quinze ans, ne soient formellement condamnés à la peine de mort ? L'âme figée par l'effroi, Renata écoutait ces déclarations des juges, lesquelles étaient parfois interrompues par des protestations, qu'une protestation véhémente fût la sienne, ou celle de Claude, ou de quelque autre juge compatissant dans l'assemblée, leurs voix seraient-elles entendues, ainsi disait Claude, nous savons que la peine capitale appliquée à des adultes est déjà un crime contre nature, ne serait-ce pas un double crime que de l'appliquer à des mineurs pour quelque délit irréfléchi et sans préméditation, avant que ne fût atteint pour ces mineurs l'âge légal d'acheter de l'alcool et des cigarettes, pouvait-on concevoir pareille ignominie si l'on détenait ce pouvoir de rendre justice ; ces accusés qui avaient aujourd'hui onze ans, dans nos écoles de redressement, nos centres de détention, n'avaient-ils pas eux aussi une mère, un père, des frères, avions-nous pensé à la détresse de leurs familles, dans l'attente elles aussi, avec leur accusé de onze ans, de ces cellules de la mort, et Renata pensait que si son mari parlait de choses inimaginables pour lui, c'est qu'il ne percevait pas comme elle, Renata, qui était une femme, que ce tableau que dépeignaient les juges dans leurs exposés, celui d'innombrables exécutions de criminels de seize, de quinze ans, car la Justice se repentait de ses excès de tolérance envers ces dangereux délinquants armés, que cet horrifiant tableau d'enfants mis à mort, tel le Massacre des Innocents commandé par un fou, serait bientôt une scène vivante, que ce qui n'était pas concevable aujourd'hui pour une Justice lasse de ses bienfaits, laquelle modérait encore ses sentences envers les très jeunes, serait bientôt conçu par bien des cerveaux justiciers comme une réforme juste, même nécessaire, tout n'était que trop vrai, pensait-elle, ces juges, ces magistrats, afin de paraître moins impitoyables, car ils avaient eux aussi des fils, des petits-fils d'un âge tendre, par quelque acte de sournoise rédemption garderaient les écoliers blancs pour plus tard, on ferait d'abord l'essai de la peine capitale sur un accusé noir de quinze ans, et c'était cette vie de Nathanaël qui était dans la balance, pensait Renata, la vie de mon petit-fils, avait dit le grand-père de Nathanaël, au tribunal, est entre les mains du Seigneur et de ses avocats, mais nous sommes pauvres et ne pourrons peut-être pas sauver Nathanaël, et Renata vit Nathanaël, menottes aux poings, entre deux officiers, une femme au visage dur qui était blanche, peut-être n'était-elle qu'harassée, croisant les bras devant la décision du tribunal, et un second officier blanc obèse dont pendait la mâchoire, ces deux personnages étaient les gardiens temporaires de la vie de Nathanaël, et ne fallait-il pas être vigilants, car Nathanaël était un garçon costaud pour ses onze ans, il vous suppliait de ses yeux de chien d'avoir pitié de lui, mais ses gardiens se méfiaient de lui, de ses suppliants yeux de chien, de ses lèvres roses, pour la séance au tribunal on l'avait habillé comme un homme, en habit, chemise bleue et cravate, voyez-moi ces larges épaules, ce garçon si développé pour son âge, je suis innocent, dit-il, n'en croyez rien, disaient ces gardiens de la vie de Nathanaël, nous serons avec lui sans complaisance, et pendant les quatre années qui précéderont son exécution, il sera incarcéré dans une prison pour adultes, je suis innocent, avait dit Nathanaël à ses juges, ma mère qui est infirmière de nuit à l'hôpital me permettait de sortir, cette nuit-là, je visais les arbres, les signaux lumineux de la rue, c'était avec la carabine de calibre 22 volée chez un garagiste, je n'avais pas l'intention de tuer quelqu'un, je visais haut, partout, dans le noir, je n'ai jamais vu ce garçon que j'ai atteint à la tête, c'était un accident, je vous le jure, les procureurs avaient nié que la confession de Nathanaël fût véridique, mon fils a de la difficulté à apprendre à l'école, avait dit sa mère, il faudrait le réhabiliter, je le connais, il ne ferait jamais de mal à personne, il visait les arbres, les signaux lumineux de la rue, libérez-le, Renata avait la certitude que Nathanaël, fils d'une infirmière du Michigan qui semblait être seule à élever l'enfant, serait jugé comme un adulte, déjà, elle le voyait, terrorisé entre ses deux gardiens de prison, pour être conduit, à sa quinzième année, vers la chaise électrique, en cette aube apocalyptique, il partageait le sort de Lorenzo, criminel adulte, réfugié cubain, jadis recueilli sur un radeau, accusé du meurtre d'un policier, et qui, comme Nathanaël, avait affirmé son innocence, ce n'était pas lui, mais un autre qui avait fui, Lorenzo, Nathanaël, pour eux, que de vigiles, que de prières, aux portes des prisons, mais que de prières en vain aussi de ces opposants à la peine de mort, car comme on l'avait fait pour Lorenzo, le réfugié cubain, quand viendrait l'aube de cette quinzième année, ses gardiens, officiers imperturbables, lui expliqueraient, en croisant les bras, comme auprès de Lorenzo jadis, le déroulement des exécutions capitales, peu de jours, avant l'exécution, on amènerait Nathanaël, comme hier, Lorenzo, dans une cellule de huit mètres carrés mitoyenne avec la chambre de la mort, pour son dernier repas, Nathanaël n'aurait-il pas droit à tout ce qu'il pourrait désirer, Lorenzo avait exigé de la cuisine un steak Delmonico, une salade, des haricots rouges, du riz, mais à Nathanaël on offrirait des desserts, sundaes, tartes aux framboises, au chocolat, il aurait assez de temps pour savourer son repas, car il ne serait pas indispensable de lui raser les jambes, ni la tête comme à Lorenzo, il conserverait intacts ses cheveux, l'heure de la mort serait prévue autour de sept heures, la chambre de l'exécution serait blanche, fraîchement repeinte pour Nathanaël, Nathanaël serait attaché par trois lanières de cuir à la chaise électrique, derrière une paroi de verre, une douzaine de témoins ou davantage seraient debout, Nathanaël ne les verrait pas, son bourreau, être secret par excellence, ne se montrerait pas à Nathanaël, sauf par la trouée de lumière des yeux, dans le capuchon noir baissé sur le visage, ces yeux, pensait Nathanaël, seraient-ils son espoir, pendant quelques secondes, tremblait, ténu pour Nathanaël, cet espoir, les officiers rejoindraient-ils le gouverneur par téléphone, ce gouverneur magnanime accorderait-il son pardon? Mais choisi pour ces noces avec l'enfer, le bourreau de ce jour-là, car il fallait qu'ils fussent variés et remplaçables, envoyait une décharge électrique si forte que le condamné sentait dans le feu de ses veines ses successives agonies, la secousse dégradée de toutes ses morts, abattu par la foudre, Nathanaël dirait encore, je suis innocent, ses poignets enchaînés, à l'instant de sa mort, seraient telles des serres d'aigle, avec leurs ongles enfoncés dans la paume des mains: ainsi serait expliqué le déroulement de l'exécution à Nathanaël, à lui qui avait de la difficulté à apprendre, comme le disait sa mère, quand comprendrait-il ce qui lui arrivait? C'était pour payer une institutrice, ces frais supplémentaires dans l'éducation de Nathanaël qui apprenait avec difficulté, que sa mère travaillait dans un hôpital, la nuit, et aujourd'hui, on le jugeait comme un adulte, lui rappelaient ses gardiens, ou sa vie était-elle entre les mains du Seigneur comme le disait le grand-père de Nathanaël, entre ses deux gardiens, au tribunal, l'enfant accusé de meurtre avait peut-être déjà une vision de sa propre fin, ne serait-elle pas la fin de Lorenzo, le réfugié cubain, de la tête de Nathanaël comme de celle de Lorenzo, d'une éponge posée sur son crâne tel un diadème servant à atténuer la chaleur des deux mille électrodes sur les tempes, dans les cheveux de l'enfant, comme sur la tête rasée de Lorenzo, soudain jailliraient des étincelles, tout un nid de flammes, par quelle malédiction dans l'erreur, cette éponge, plutôt que d'avoir été retirée des océans, serait une éponge d'une matière aussi inflammable que l'éther, et tous croiraient, ces témoins, derrière leur paroi de verre, gardiens, officiers, spectateurs, qu'une boule de feu descendrait précipitamment vers eux du crâne de Nathanaël jusqu'à leurs pieds, serait-ce le feu ou la foudre, de brillantes flammes orange s'amasseraient dans la chambre blanche de la mort, car elle serait là, contre le crâne de Nathanaël, l'éponge se calcinant, se galvanisant, et le ministre du culte de l'église presbytérienne, ce guide spirituel qu'on avait vu près du lamentable Lorenzo et, ce matin, du petit Nathanaël, s'écrierait, quel scandale, mon Dieu, nous avons respiré l'odeur de la chair rôtie, pourquoi, mon Dieu, mon devoir était-il d'être auprès de ce condamné, dans la foudre, la fumée, la cendre, ils l'ont électrocuté, pas une fois, mais dix, se reprenant chaque fois, quelle malédiction dans l'erreur, c'est une éponge encore mouillée qu'on eût dû placer sur la tête de Nathanaël, laquelle eût absorbé l'horrible chaleur, erreur, car l'éponge cette fois était en cellulose et très inflammable dès que la chaleur l'eut asséchée en deux secondes ; soulagé, le bourreau recevrait son salaire de cent cinquante dollars, en argent comptant, exempt d'impôts, se réjouirait-il, que revienne à un autre la prochaine fois cette sale besogne, se souviendrait-il de ce pauvre Lorenzo, le réfugié cubain que l'on enterrerait dans un cimetière anonyme près de la prison, n'ayant aucune famille aux États-Unis, nul ne viendrait le pleurer, quelques opposants à la peine capitale, peut-être, déposeraient des roses sur sa tombe, quant à Nathanaël, sa mère viendrait chercher son corps dans le matin venteux, longtemps elle le réchaufferait près d'elle, ces pensées du bourreau ne seraient pas sans sollicitude paternelle envers celui qui aurait été électrocuté à sept heures, le condamné dont le crâne, les cheveux avaient pris feu avec l'éponge, Nathanaël étant si jeune, qui sait si en apercevant son bourreau, cet homme à capuchon, si Nathanaël un instant ne l'avait pas confondu avec le fantôme réanimé de Superman, le médecin directeur de la prison avait dit, je ne vois aucune preuve que le condamné eût à souffrir, aucune, mon opinion médicale est que ce fut une mort très rapide, et humaine, toutes ces flammes, cette incandescence, j'avoue que ce fut un spectacle désagréable, mais j'ai examiné le condamné, il n'eut que quelques brûlures à la tête et aux jambes, il faut se souvenir que ce garçon était un criminel, nous avons eu raison de le supprimer, mais je vous prie de croire que ce fut de façon très humaine ; et ces juges, pensait Renata, ceux qui avaient imposé à Lorenzo, adulte, et à Nathanaël, le jour de son quinzième anniversaire, ces peines, les déclarant coupables au tribunal, eux aussi seraient ligotés à leurs victimes, l'un, peu de temps après avoir signé la sentence de Lorenzo, souffrirait de leucémie, prolifération autant de globules blancs que de gouttes de sang sous la gifle du feu, sur le crâne de Lorenzo, de la brûlure surgissant du corps de l'électrocuté vif, le second juge serait assassiné avec sa femme dans sa maison du Kansas, mais que de perturbations psychologiques ces juges, leurs femmes, avaient eu à subir, que d'agressions morales de la part de ceux qu'ils avaient physiquement agressés et tourmentés par le feu, jusqu'à la mort, ce n'était là, ce deuil, qu'une malheureuse suite de l'organisation judiciaire, qu'y pouvaient les juges, leurs femmes, eux qui étaient déjà affaiblis, séniles, n'avaient-ils pas espéré qu'on les laisserait en paix, à leur déclin, que l'un de ces tueurs, tuant à bout portant de sa voiture, ne viendrait pas les visiter, et soudain, ils seraient couchés l'un près de l'autre, le juge, sa femme, sur le lit conjugal, tous les deux prêts à partir ensemble et dans la bonne conscience, que finît ce cauchemar où les silhouettes de Lorenzo et du jeune Nathanaël s'entremêlaient aux flammes, car le juge était aussi un homme charitable qui avait fait le bien, pourquoi l'avait-on oublié, et si cette sentence n'avait pas été juste, si vraiment Lorenzo, Nathanaël avaient été innocents comme ils le proclamaient, alors le juge ne serait-il pas le plus infâme des hommes, mais comment savoir, qu'on le laissât dormir, il était vieux et épuisé. Et Augustino annonçait à son père dans un *e-mail* ses résultats en latin, en biologie, le choix du latin était celui de sa grand-mère, dans la hâte, la joie, Augustino annonçait surtout à son père qu'il était invité avec des écoliers de cinquante-quatre pays à une session de *brainstorming* où seraient réunis des délégués tous âgés de onze à seize ans, le sujet de la session d'été serait comment la technologie peut-elle améliorer les conditions de vie des enfants dans le monde, il avait obtenu de Mélanie la permission de participer à cette conférence, si loin, en cette première session, Augustino exprimerait franchement ses idées, car on ne pouvait toujours dire aux enfants comment penser, comment agir, eux aussi tenaient à s'exprimer, écrivait Augustino, on leur prêterait la tribune d'un stade olympique, des adultes viendraient les écouter tous, ce serait une conférence de presse mondiale, Augustino avait déjà dans son ordinateur les témoignages de ses correspondants, je veux un monde où n'existera plus l'esclavage des enfants travailleurs, avait écrit Bhavani, de l'Inde, à Augustino, de l'Irlande du Nord, Leon, douze ans, souhaitait que les écoles protestantes et catholiques puissent communiquer par Internet, de la Nouvelle-Zélande, Issy avait dessiné une page Web écologiste, tous, ils avaient une pensée, une idée, comment vivre mieux demain, comment sauver les animaux, tous les êtres vivants, Augustino exprimait fortement son désir de voyager seul quand sa grand-mère voulait l'accompagner, je veux être seul pour rencontrer mes amis, écrivait Augustino, sa grand-mère lui reprochait cette indépendance, ne cessant de lui répéter qu'il n'était encore qu'un enfant même s'il connaissait les noms de toutes les plantes, de toutes les fleurs du jardin, Daniel savait-il qu'au jardin botanique de l'île les espèces les plus précieuses de papillons avaient échappé à l'ouragan Damien, sur cet arbre appelé buisson ardent se posaient les tourterelles comme sur des hectares d'herbe verte les papillons aiguilles d'Espagne, le dragon volant aux ailes fluorescentes et à la queue rosée, l'arbre gumbo limbo accueillait toutes les créatures et tous les chants d'oiseaux, l'étang des tortues était lisse, sans toutes ces feuilles transportées par le vent, et pourquoi la grand-mère d'Augustino lui interdisait-elle l'accès à un jeu vidéo excitant, c'était « le bon tremblement de terre », « le tremblement de terre propre », ce n'était que du sport pour les yeux, pourquoi toujours cette sévérité de sa grand-mère, Augustino expliquait à son père que dans ces jeux, interdits à la maison par sa grand-mère, on pouvait être le maître de l'univers, dans une guerre très propre, il s'agissait de vaincre Quake et Doom, avec les lances de feu des météores et des planètes, ainsi s'entrechoquaient les mondes dans de formidables explosions, ce qui déconcertait Daniel, c'est qu'Augustino aspirait à imiter plus tard les inventeurs de ces jeux épiques sur l'écran, car ceux qui avaient inventé Quake et Doom, dans leurs invincibles costumes qu'aucune arme ne pouvait flétrir, étaient désormais de jeunes millionnaires conduisant des Porsche et des Ferrari, sort qui semblait enviable à Augustino, il y avait aussi *Karnac,* où l'on pouvait conquérir le Génie du Mal, ce Génie du Mal, un squelette géant se relevant des craquelures de la terre, bien sûr, pensait Daniel, Augustino ne pouvait déjà comprendre que ce Génie du Mal était le spectre d'une troisième guerre mondiale qui serait en effet très propre, ou l'assimilait-il par le seul choix de ses jeux? Augustino achevait sa lettre à son père en lui parlant d'un concours de dessin qui récompenserait bientôt un étudiant hispano-américain de l'École catholique qui avait peint un très jeune Jésus africain-américain, posé sans sa croix sur la lumière rouge d'un soleil couchant sur la mer, une plume gisait à ses pieds, signe de la spiritualité des Indiens du Nouveau-Mexique, certains voyaient dans ce dessin une figure noire paysanne, d'autres, une jeune fille ou un enfant, son auteur l'avait peint afin qu'il fût personnel à chacun, un autre élève avait dessiné l'un de ces itinérants des plages avec son chien, d'autres élèves, parmi les plus jeunes, un Jésus astronaute, un Jésus athlète aux biceps proéminents, c'était bien la première fois qu'un Jésus à la peau noire avait été dessiné à l'École catholique, quelques parents protestaient afin qu'aucun prix ne fût donné à l'élève, quant à ce symbole de la plume, ils ne l'acceptaient pas non plus, que pensait Daniel de cette controverse, Daniel, tout à l'écriture de son livre, s'inquiétait pourtant des messages d'Augustino, de Quake, de Doom et de *Karnac,* et de ce funeste Génie du Mal, mais ces messages d'Augustino n'étaient-ils pas tissés aussi de ce yin, de ce yang de l'humanité future d'Augustino, qu'elle fût active ou négative, ce serait, cette humanité d'Augustino, une humanité en progrès, la phénoménale capacité d'Augustino à apprendre était celle des organes doués d'une excessive mémoire comme son ordinateur, il avait de cet ordinateur l'ambiguïté inventive et la consternante alternance du yin et du yang, au Génie du Mal succédait dans ses lettres la naissance spectaculaire de deux tigres blancs issus d'une tigresse nommée Aehsha au zoo d'Oveido, y était racontée aussi la naissance d'un dauphin dans un centre de recherches de la Floride un matin de Pâques, seule la terre qu'habitait Augustino pouvait être aussi lumineuse avec ses tigres sauvages et ses dauphins ; mais que penser de cette part plus obscure du monde d'Augustino où un jeu appelé *Tremblement de terre propre* signifiait un nettoyage sans concession du Vieux Monde où Quake et Doom viendraient anéantir les ténèbres, cela au prix de tous les désastres, d'une mortalité qui ne convenait plus à la génération d'Augustino né pour l'immortalité dans le parfait fonctionnement d'un monde renouvelé, là il n'y aurait ni froid ni ombre, le yang aurait la régularité du soleil, chaque être vivant, plante ou oiseau, tous, en cette humanité future d'Augustino, y seraient heureux après l'oblation du Vieux Monde ; en lisant les lettres d'Augustino, Daniel se souvint d'une visite avec Rodrigo à l'atelier des musiciens où il avait entendu jouer Garçon Fleur et son orchestre, bien des anges sont parmi nous dans ce monastère d'Espagne, *amigo,* avait dit Rodrigo à Daniel, celui-ci, que ses parents nomment Garçon Fleur, vient d'Alabama, on dirait le fils d'un fermier, mais il faut l'entendre jouer au piano une sonate de Bach et tout aussi bien diriger un orchestre de jazz, Garçon Fleur est simple, naturel, comme le sont ses parents, dans cet atelier des musiciens il y a aussi une jeune violoniste coréenne, elle aussi, comme Garçon Fleur, enfant prodige de douze ans qui nous éblouit avec une révélation spontanée de l'œuvre de Schubert, quoi de moins semblable, Bach et Garçon Fleur d'Alabama, une petite fille de la Corée et Schubert? Que de dons et de miracles célestes gaspillés chez de charmants enfants dans ce monastère, quand moi, Rodrigo, je m'acharne à rimer mes vers, ce que le poète Pedro López de Ayala réussissait déjà mieux que moi vers 1379, dans son *Cantar a la Virgen Maria, señora,* écrivait-il, *por quanto supe / tus acorros, en ti spero / e a tu casa en Guadalupe / prometo de ser romero,* comme moi, *amigo,* ce poète ancien était religieux, il avait divers métiers, traducteur, chroniqueur, il s'intéressait aussi à la politique, c'était un grand voyageur, je ne serais pas surpris. *Amigo,* que Dieu m'eût légué une flammèche, un éclair de son âme, et ces mêmes élans lyriques que Pedro López de Ayala concédait à sa plume, rien qui ne tienne du prodige comme la naissance de Garçon Fleur dans un milieu où de braves gens ne connaissaient rien à la musique, et connaissaient tout de l'agriculture, fascinés par ce Garçon Fleur, Daniel et Rodrigo le suivaient partout, mais Garçon Fleur n'aimait que les musiciens de son orchestre, son batteur, son guitariste, son contrebassiste, et ses parents, son grand-père pour qui il éprouvait des poussées de tendresse, s'asseyant soudain sur ses genoux et lui caressant la barbe, c'était un jeune garçon potelé jouant pieds nus au piano, dirigeant son orchestre, sa ronde poitrine nue sous sa veste de jeans ouverte et sans manches, la veste ainsi que le short de jeans frangés avaient été brodés par sa mère, un turban ceignait le front de Garçon Fleur, ses longs cheveux plats, peignés, brossés, se déversaient jusqu'à sa taille, ces cheveux que le soleil avait dorés et que sa mère remettait constamment en place, avant que son fils n'apparût sur une scène, là s'avançait, pieds nus, vers son piano, ou son orchestre, Garçon Fleur, si détendu qu'on eût pu croire qu'il était insolent, qu'il attaquât la complexité d'une sonate ou une improvisation jazzée que lui avaient inspirée des musiciens avec qui il avait travaillé à La Nouvelle-Orléans, Garçon Fleur débordait d'une imagination musicale saisissante, imprévisible, que de notes torrentielles sous ces doigts voltigeurs, pensait Daniel qui avait souvent écouté, sous la fenêtre de l'atelier, les longs et rigoureux exercices de piano du jeune musicien, si la théorie de Rodrigo sur l'âme réincarnée était juste, si Rodrigo lui-même, dans sa continuité têtue, prolongeait les rimes du poète Pedro López de Ayala mort en 1407, si nos vies n'étaient que ces chaînes d'assourdissants miracles, pourquoi Garçon Fleur né en Alabama n'eût-il pas été l'héritier du vague à l'âme du blues qu'il rajeunissait de sa percutante cadence enjouée, tout en étant le fils libéré dans le nouveau millénaire de l'un de ces enfants de Bach, l'un des moins aimés peut-être, Wilhelm Friedemann dont le génie, dans son invention de la forme d'une sonate, n'avait pas été reconnu, ce fils au caractère insondable et sombre, le plus inapte au bonheur, qui mourut misérable, pressé de vendre les manuscrits de son père, ce fils sans foi, annonçant la fin d'une dynastie, fils renié de la réussite, bien que prodigieusement doué, pourquoi ce fils de Bach n'eût-il pas transmis, avec ses connaissances mélodiques, son âme immédiate et éternelle à ce Garçon Fleur si bien disposé à la prendre, dans une détente que Wilhelm n'avait jamais connue? Lorsque Garçon Fleur avait achevé ses draconiens exercices au piano, il passait son enjouement en taquinant les chèvres de la ferme, courait à perdre haleine dans les champs de tournesols dont les hautes tiges dépassaient ses épaules, ou allait apaiser dans le pub du village, auprès de ses parents, ses fringales de nachos, encore, encore des nachos, disait-il au serveur, ses doigts gluants de fromage chaud, pendant que son père, son grand-père buvaient avec satisfaction des bocks de bière brune, et qu'à la dérobée sa mère brossait les cheveux de Garçon Fleur, soudain, à l'écart des profils droits des hommes, le regard de la mère se posait avec douceur sur son fils, souvent sur ses mains qu'il avait encore petites et, comme son visage, potelées, Daniel observait cette scène avant de l'inscrire dans son carnet, cette mère de Garçon Fleur lui semblait aussi admirable que Maria Barbara, la première femme de Bach dont on ne savait presque rien sinon qu'elle avait enfanté ce fils aîné, Wilhelm Friedemann, l'enfant dont l'étincelant génie avait été blessé, celui qui ne se situait nulle part, qui sait si ce n'est pas Maria Barbara qui avait prodigué à Wilhelm sa virtuosité pour l'orgue, qui avait composé avec lui sa première messe, une femme avait porté ce Wilhelm Friedemann déçu, une autre veillait à la santé de Garçon Fleur, désirant qu'il fût plus tard équilibré, robuste, qu'il n'eût pas qu'une réputation de virtuose, mais aussi une vie intérieure, pendant que les hommes consommaient lentement leurs bières brunes, cette Maria Barbara disait à son fils, maintenant nous allons faire des mathématiques, car elle se passionnait avec son fils pour les sciences du raisonnement, comme pour ces puzzles de bois dont il démêlait, l'air malicieux, une à une, toutes les énigmes, Garçon Fleur ne quittait jamais un lieu sans avoir salué les gens autour de lui de sa main ronde, la gratuité de ces souriantes salutations, pensait Daniel, ne prouvait-elle pas que la mère de Garçon Fleur vivait en lui, comme Maria Barbara en Wilhelm, que ces deux mères étaient les gardiennes de ces deux esprits à la fois immenses et fragiles? Ô ville bâtie sur tant d'îlots, pensait Jean-Mathieu, comme un vieil homme peut se sentir ici vacillant, ne pouvant franchir tous tes ponts ni voir toutes les œuvres d'art de tes palais médiévaux, Jean-Mathieu avait marché muni de sa canne jusqu'à ce Véronèse qu'il vénérait, au palais des Doges, cette *Allégorie de la jeunesse et de la vieillesse,* laquelle lui paraissait soudain moins aliénante que lorsqu'il avait pensé à la faiblesse d'une fin de vie, devant la signification de la Vieillesse dans ce tableau, au contraire, ce tableau ne le fortifiait-il pas autant que ses intellectuels labeurs pendant qu'il écrivait une biographie de Stendhal? Bien qu'il sût mieux que quiconque, pensait-il, qu'au-delà de cette allégorie de la jeunesse si expressive et radieuse de sa propre lumière, il n'y avait non seulement pour lui plus de jeunesse, mais ni rives, ni ponts, que de ces flots nul ne revenait, il se sentait rasséréné d'avoir bien vécu ce qu'il avait eu à vivre, sa pensée cheminant de l'allégorie de Véronèse aux tableaux du

Tintoret, de Titien, puis il se souvint de ce saint Jean-Baptiste d'Alvise Vivarini à qui le peintre avait attribué la tête d'un penseur moderne, Jean-Mathieu songea que quarante ans plus tôt il était lui-même ce Jean-Baptiste barbu, chevelu, aux sourcils fournis, avant qu'il ne perdît si soudainement tous ses cheveux, étrangement, c'est ce poète chauve, bien que toujours élégant, affectant une fantaisiste recherche vestimentaire, que Caroline avait aimé, quand ce saint Jean-Baptiste peint par Alvise Vivarini, ce Jean-Mathieu d'autrefois ou d'hier lui avait été indifférent, Jean-Mathieu revit le tableau comme s'il fût encore sous ses yeux, ce saint Jean-Baptiste avait une morphologie musclée, il exerçait encore, longtemps après qu'on l'eut dessiné et peint, ses voluptueux attraits, était-ce un dandy aux doctes pensées ou un penseur conscient de son pouvoir sexuel; son épaule droite était dénudée sous sa cape d'une lourde étoffe verte, il exhibait de son vêtement court, sous les cuisses, sa jambe de séducteur, ses jambes étaient celles d'un coureur, ses pieds aristocratiques chaussaient de fines sandales, allait-il se mettre à courir ou se plonger dans l'étude d'un document, dans cette attitude fringante, il lisait un manuscrit en pointant l'index vers le texte, voilà ce que j'étais, moi aussi, pensait Jean-Mathieu, cet homme sensuel aux quelques nobles qualités, bien que Jean-Mathieu fût convaincu de n'être qu'un homme ordinaire dont la vie se résumait à l'entreprise d'un beau voyage en mer sous un ciel propice à la navigation, et comment Jean-Mathieu était-il tombé en défaillance, devant ce tableau de Véronèse, comment cela s'expliquait-il que sa canne, soudain, ne fût plus là pour le soutenir, qu'il entendît à ses tempes tous ces murmures désordonnés, ce tumulte; non, cela ne pouvait s'expliquer car Jean-Mathieu n'avait jamais souffert auparavant d'insuffisance cardiaque, c'était le destin, cette insuffisance, du malheureux Frédéric qui ne sortait plus de chez lui, Jean-Mathieu, lui, se sentait toujours bien, un instant plus tôt, Jean-Mathieu avait pensé à l'enfance de Justin en Chine du Nord auprès de son père, le pasteur, à cette époque, avait écrit Justin dans ses mémoires, j'étais un enfant heureux, le bonheur, c'est d'avoir une envie folle de se lever le matin, tant est vibrante en nous la curiosité de vivre, le bonheur cesse quand paraît le sentiment de culpabilité, il a cessé pour moi avec Nagasaki, Hiroshima, j'ai eu honte, j'ai pleuré, si Jean-Mathieu avait pensé à Justin, n'était-ce pas que son ami le rappelait à lui de sa silencieuse éternité? J'éprouve encore la même hâte de me lever le matin, ne viens pas me rappeler à toi si tôt, voulut dire Jean-Mathieu à la voix de Justin qui le dérangeait dans sa contemplation d'une œuvre de Véronèse, au moment même où s'effaçait dans le brouillard la voix de Justin, mort depuis plusieurs années déjà, Mathieu entendit le fracas de la canne à ses pieds, et cet autre tapage aussi, plus voilé, on eût dit la neige qui craquette sous la pression des pas, un bruit souterrain, n'était-ce pas là à ses tempes, comme tout autour de son cœur, cette morne sensation d'étouffement, d'évanouissement ouaté, il faut que je rejoigne Edouardo, qu'il vienne m'attendre à l'aéroport, Frédéric ne peut rester seul, mais Juan est là aussi, pour lui, je ne dois surtout pas m'énerver, ce n'est rien, peut-être, mais cette respiration oppressée, quel ennui, oui, je dois prendre le temps de téléphoner à Caroline, de la chambre de ma pension, car qui sait, nous ne nous reverrons peut-être plus, ma chère Caroline, ma chère amie, qu'était-ce que cette maladresse de ne plus pouvoir prononcer les mots distinctement, et cette sensation d'étouffement qui recommençait, le transperçant, mais que d'images, de souvenirs, et quand avait-il rêvé que, dans sa voiture, il longeait un quai dont les planches étaient submergées par les vagues, plusieurs voitures noires étaient immobiles sur ce quai, aucune n'avait un chauffeur, dans ce rêve, Jean-Mathieu roulait vite, dangereusement vers la mer agitée quand il avait vu venir vers lui la diaphane silhouette de Justin qui lui avait dit, mon ami, où veux-tu donc aller par cette nuit de tempête, ne vois-tu pas que les autres voitures sont arrêtées? Que de bruits, que de craquements sous la course fluide des veines, autour du cœur, pensait Jean-Mathieu, il revit ce tableau d'Antonello de Messine qu'il avait contemplé avec Caroline au musée du Louvre, je suis agnostique, vous le savez, avait dit Jean-Mathieu à Caroline, mais ce Christ à la colonne me bouleverse, voyez ce visage fruste et implorant du pauvre homme qu'est ce crucifié, ses yeux injectés de sang, hagards, sa bouche entrouverte dans un cri de révolte qui est le refus de la démission, voilà bien notre histoire, et qu'avait donc répondu Caroline, ce jour-là, que cet art de la chrétienté lui répugnait par sa docilité devant la souffrance, Caroline, Jean-Mathieu, bribes de souvenirs où s'égarait la pensée, oui, de la chambre d'hôtel il téléphonerait à Caroline, il dirait à Edouardo, il ne faut pas vous inquiéter, ce n'est qu'un malaise, mais il est sans doute plus prudent que je pense à rentrer, que je revoie mon médecin, oui, se demandait Jean-Mathieu, comment était-il tombé en défaillance devant ce tableau de Véronèse, il écrirait ce soir à Charles en Inde, reviens, mon ami, car me voici à l'extrémité d'un quai d'où je vois une mer déchaînée, démontée qui s'ouvre tel un précipice, il écrirait aussi à Charles, oui, dès ce soir, je pense, mon ami, à ces vers de Dylan, Dylan dont je suis toujours inconsolable, je crois l'entendre réciter ces vers dans la furie des vagues, *Rage, rage against the dying of the light,* ces vers qu'il écrivait quand il était si jeune et au seuil de la vie, *Rage, rage against the dying of the light.* Lorsque j'ai entendu la sirène de l'ambulance à midi, disait la mère de Lazaro, au chevet de son fils, à l'hôpital, j'ai su, oui, que c'était pour toi, comme si tu avais tressailli de nouveau dans mon ventre, j'ai su que tu t'étais encore battu avec Carlos, hier ton meilleur ami, il a voulu me tuer, il a voulu me tuer, répétait Lazaro, pour une montre Adidas, tu entends, maman, les hurlements des sirènes, il est midi, il a voulu me tuer, ici on te dispensera tous les soins, ce n'est rien, la balle a à peine éraflé le genou, dans quelques jours tu pourras marcher, dit la mère de Lazaro, mais pourquoi ne lui as-tu pas fait cadeau de la montre, pourquoi tout ce sang, sur le trottoir, dans la rue, devant le Collège de la Trinité, quand donc finira mon hémorragie, demandait Lazaro à sa mère qui se penchait vers lui, sur son lit, il faut que tu lui pardonnes, mon fils, dit la mère de Lazaro, Carlos croyait que son fusil n'était pas chargé, tu l'as tant de fois provoqué, mon fils, nous nous sommes exilés, immigrant si loin dans ce pays, serais-tu comme tes cousins, tes frères dans leurs luttes sanglantes, serais-tu comme eux, Lazaro, qui dévastent les temples de Louksor, assassinent les touristes, quand c'est cette terre vengeresse que nous avons fuie, je ne voulais pas être parmi ces femmes qui allument des tiges d'encens à la mort de leur fils, et que fais-tu, rue Bahama, rue Esmeralda, tu te bats avec Carlos, ton ami, quand nous pourrions vivre enfin libres et sans la menace de la guerre, et te voici en guerre avec Carlos, nous qui avions fui la ségrégation entre les hommes et les femmes, je ne voulais pas être là que pour préparer le thé, le café, où pendant leurs réunions des hommes armés, tes cousins, prêchaient la discorde, la haine, nous qui étions toujours exclues, nous, les femmes, tyrannisées derrière nos voiles blancs, dans les universités, nous les intouchables, lapidées si nous étions adultères, nous dont les droits ont été confisqués, nous les jeunes femmes sans visage, toujours masquées, cachées, un rideau blanc nous séparant toujours des hommes, même lorsque nous étions à l'étude, dans les universités, les maîtres, les professeurs refusaient de nous voir, intouchables, bannies, partout des massacres, sous le sable des déserts, dans les terres de l'Afghanistan, tous ces sillons creusés par les tombes, entre leurs rangs, des parents errent, cherchant leurs fils parmi eux, les reconnaîtront-ils à ces beiges lambeaux qu'étaient les vêtements des miliciens désignant désormais ceux qui dorment sous le sable, adolescents mutilés, et toi, mon fils, tu te bats avec Carlos, hier un écolier de douze ans s'amusait à lancer des œufs sur les portes des maisons, de l'une de ces maisons sortit une femme qui tua le garçon de son revolver, il a sali ma porte, dit-elle, où sommes-nous, dans un pays pacifique ou dans les sables en Afghanistan, parmi ces milliers de tombes d'enfants? Tout ce que nous avons fui, toi et moi, Lazaro, les actes de tes frères terroristes, ces contrées infestées d'actes criminels autant que de peste et de choléra, de malaria, car nous n'avons plus d'eau, nous nous gangrenons dans les pénuries de toutes sortes, et toi pendant ce temps tu te bats avec ton ami Carlos, nous avons fui ces barbaries de nos guerres, les épidémies qu'elles engendrent, la faim, la soif, la sécheresse, la mort, plutôt que de labourer nos terres, nous tuons sans fin, et toi tu es comme ces mauvais frères et cousins, tu te bats, Lazaro effleurait de sa main tendue vers son genou la plaie sous le pansement, oui, il serait debout dans quelques jours, pensait-il, il pourrait bientôt marcher, mais pour une montre, il avait failli être tué, la présence de sa mère, le ton élégiaque de sa voix, son visage découvert, quand, dans le pays ancestral, elle eût été voilée, ses espoirs de paix, d'harmonie dans l'éducation de ses enfants, comme cette nouvelle liberté des mœurs qu'elle avait acquise depuis qu'ils avaient tous immigré ici, tout en elle irritait Lazaro, il n'éprouvait pas même de gratitude pour sa mère dont le métier d'orfèvre, sa réussite commerciale, les faisait tous bien vivre, une bicyclette de montagne, une montre, tant de cadeaux vite échangés avec Carlos, pour son malheur, l'acte de Carlos ne méritait que vengeance, sa mère avait tort, cette femme au visage découvert, seuls ses cousins, ses frères obéissaient à la pureté de leur religion, à la loi du sang viril, Carlos eût achevé Lazaro si Lazaro n'eût crié, il m'a tué, et il court, et il s'en va, le meurtrier, Carlos était sale, menteur, pensait Lazaro, il ramassait souvent des seringues qui traînaient dans le gazon, rue Bahama, rue Esmeralda, il fréquentait des prostituées qui laissaient derrière elles préservatifs et seringues, il fallait poser partout des barreaux aux portes, aux fenêtres, rue Bahama, contre le vandalisme, une montre, une bicyclette vite échangées avec Carlos, lui le vandale, le drogué, je me vengerai, pensait Lazaro, tu ne te souviens donc pas, reprenait Caridad, la mère de Lazaro,

que de ces pays d'où nous venons, des essaims d'hélicoptères nous réveillaient la nuit, nous bombardant au
napalm, le feu, la fumée dévorant nos plages, nos forêts,
que sur les toits des camionnettes s'enfuyaient des
femmes, des enfants en pleurs, on les apercevait le long des
routes, leur matelas sur le dos, et pendant que les forêts
étaient incendiées, la faune était dévastée sur nos plages, les
vagues de la mer avaient la couleur de l'huile, les singes de
nos montagnes hurlaient d'abandon, les sangliers criaient
dans les flammes de nos forêts, les chiens dans nos villes
étaient si affamés qu'ils venaient par centaines la nuit
déchiqueter les jambes de nos enfants, tu ne te souviens
donc pas, mon fils, de ces pays d'où nous venons, sans eau,
sans pain, où nous étions livrés à des commandos meur-
triers, j'ai vendu tous mes biens, tout ce que nous possédions, dans la famille, et toi tu te bats avec Carlos, tu veux
que nous retournions à la rue, notre barda sur les épaules,
tu as donc oublié tout ce que j'ai fait pour mes enfants,
Lazaro? Et Lazaro pensait que Caridad, sa mère, n'était
qu'une femme, pourquoi n'étaient-ils pas séparés par un
rideau blanc, il était un homme, chacune des paroles de sa
mère éveillait sa méfiance, et Carlos, ce menteur, ce voleur,
avait humilié Lazaro à midi, devant le Collège de la Trinité,
quand les policiers ne rôdaient jamais très loin, Carlos, son
chien, ces deux ombres au soleil, et voyant que son fils se
durcissait, Caridad toucha son front en disant, ne cultive
pas la haine dans ton cœur, mon fils, et celle que Samuel
avait surnommée la Vierge aux sacs avait marché si longtemps dans les rues de Manhattan, ses provisions, ses sacs,
à la main, qui n'entendait pas le bruit des cannettes de
métal, de ses cartons froissés résonnant dans la nuit, elle

rêvait maintenant de s'étendre dans l'herbe d'un parc, car depuis une heure, tous les magasins étaient fermés, elle eût aimé dormir dans un lit, laver son visage, ses cheveux, se faufiler sans un mot vers l'arrière des restaurants, vers ces havres d'eau, de repos où le corps se délivre, serait-ce cette nuit qu'elle reverrait l'Apôtre, qui prêchait dans les parcs, à la radio, sur les écrans des télévisions, levant les bras vers le ciel dans sa robe blanche qu'une corde nouait amplement à la taille, cet Apôtre à la barbe blonde, aux yeux limpides, qui, un jour, avait dit à la Vierge aux sacs, voici une Bible afin que tu comprennes les mystères de Dieu, ignorant qu'elle ne savait pas lire, va et sois simple, de l'éclat de sa robe, de la croix de son cou, des bras de l'Apôtre levés vers le ciel émanait une si chaude lumière que la jeune fille eût aimé vivre près de lui, même pour n'être, pensait-elle, qu'une goutte de pluie incrustée dans sa robe, n'était-ce pas Lui qu'elle avait tant cherché, Lui dont on disait que ni la pluie ni la neige ne le ternissaient, été comme hiver, il ne semblait pas avoir soif ni faim et chacun était près de lui rassasié, son nom qu'il refusait qu'on prononçât, l'Apôtre qui n'avait pas de nom, était divulgué par tous avec déférence, pensait la Vierge aux sacs, dans les vallées minières de Hazleton où il avait combattu par ses prières la dépression des mineurs, à New York où il avait défendu les délaissés de la rue, l'Apôtre n'avait-il pas dit à la Vierge aux sacs qu'elle n'était pas une véritable itinérante, qu'atteinte d'une légère confusion mentale la jeune fille n'eût pas dû quitter l'institution qui l'avait accueillie à la mort de ses parents ; dans un agacement soudain, la Vierge aux sacs avait dit que ses parents l'attendaient à Jérusalem, alors, fais comme moi le vœu de pauvreté, avait conclu l'Apôtre,

155

car ta vie, mon enfant, sera dépourvue de tout confort, comme l'est la mienne, je voudrais être la goutte de pluie qui mouille la robe de Jésus que rien ne peut ternir, ni la pluie, ni la neige, ni la boue des routes, pourquoi ne me permets-tu pas de marcher avec toi, Apôtre, là où je vais, tu ne peux venir, lui avait-il répondu, ne vois-tu pas que je n'ai ni mère, ni frère, oui, qui est ma mère, qui est mon frère, je ne puis demeurer en un seul lieu très longtemps, j'ai voyagé à pied dans quinze pays, quarante-cinq États américains, et je ne puis m'arrêter dans cette ville, parfois la nuit je réunis des foules pour la prière, dans les champs, ils viennent tous de très loin, parfois trois mille personnes chaque nuit viennent prier avec moi, et je leur dis, je prie pour vous, rentrez chez vous sans chagrin, ils m'écoutent, tous ces fervents de Dieu, et ne ressentent que de la joie, parfois je chante et ils oublient leurs épreuves, cette robe blanche, aucun esclave de l'industrie ne l'a cousue, nul n'a peiné pour me vêtir, car c'est la tunique du soleil, lui avait dit la Vierge aux sacs, oh! que ne puis-je partir avec toi si loin, et l'Apôtre avait dit à la Vierge aux sacs, là où je vais, tu ne peux venir, que ferais-tu à mes côtés dans ces régions minières de Shenandoah où sous l'âpreté du charbon, de sa froide poussière, des hommes réclament de moi que je les éveille à la foi, la foi, vois-tu, mon enfant, est une fleur dans les mines; la Vierge aux sacs l'avait encore supplié de ne pas la laisser seule, car où dormirait-elle ce soir, cette nuit, descendrait-elle vers ces conduits souterrains du métro où l'assiégeraient le Gang des Vampires ou celui des Seigneurs du Chaos, tous porteurs de masques aux grotesques formes, les Gargouilles vampiriques imprimant avec leurs couteaux un V sur le front de leurs victimes, les battant au cou, à la figure, vampires des cavernes, des couloirs souterrains, bien qu'on eût capturé leur leader adolescent, les Gargouilles vampiriques toujours en liberté, dans les entrailles du métro, des escaliers de gare, emplissaient l'âme de la jeune fille de frayeur, et l'Apôtre avait posé sa main sur la tête de la Vierge aux sacs en disant, va, enfant, à cette institution d'où tu t'es enfuie, je prierai pour toi, souviens-toi que je n'ai ni frère ni sœur, et la Vierge aux sacs ne l'avait plus revu, parfois oui, sur l'écran d'une télévision, elle avait entendu sa voix à la radio, cet Apôtre que ne souillaient ni la neige ni la boue, qui réparait les voitures, éclairait les mineurs de Shenandoah de sa lampe, non, la Vierge aux sacs ne l'avait jamais revu. Et il faut leur inculquer l'amour de la musique, dès l'école, disait Julia Benedicto à Marie-Sylvie, qui tenait Vincent et Mai par la main, dans la salle de musique de l'école, Vincent apprendra-t-il le violon, Julia Benedicto recrutait déjà ses élèves, pour l'an prochain, n'était-elle pas fièrement responsable de la formation de l'Orchestre des jeunes de l'île, Marie-Sylvie couvrait Julia Benedicto de regards désapprobateurs, qui était cette Cubaine, pensait Marie-Sylvie, une réfugiée, elle aussi, et déjà violoniste invitée de l'Orchestre symphonique, quand Marie-Sylvie s'affligeait de son rôle de domestique, fût-elle appelée par Mélanie et Mère l'excellente gouvernante des enfants, qui prenait seulement conscience, autour de Marie-Sylvie, de son abaissement, de sa rancunière sujétion dans la maison des riches, le *Concerto nº 2* de Brahms sera au programme de l'orchestre, cette année, disait Julia, quelques compositeurs récents aussi, Kodaly, peut-être Ginastera, il faut emmener dès maintenant les enfants au concert, le concerto pour piano de Brahms, pensait Marie-Sylvie, éprouvant, telle une agression, le contact des doigts des enfants entre ses mains moites, ils étaient là, écoutant Julia Benedicto parler de musique, ou déjeunant le midi aux terrasses sous d'abondants palmiers, près de la mer, le maître d'hôtel, habillé de blanc, discutant du menu avec eux, et eux, Vincent, Mai, Augustino, beaux, intelligents, levant vers lui leurs capricieuses frimousses, pendant que son frère fou se cognait la tête aux murs de la ville en criant, ils ont été rapatriés par la garde côtière, tous, on les renvoie tous à Port-au-Prince, oh! malheur, rapatriés ceux qui n'ont pas de patrie, le bateau *Resolute,* un deuxième, *Madrona,* les débarquera tous, femmes, enfants, immigrés chinois, dominicains, leurs bateaux de bois se dirigeant en vain vers Key Biscayne, les plates-formes des embarcations s'écroulant presque sous le poids de tant de passagers, et Marie-Sylvie pensait qu'ils avaient ainsi navigué comme naguère, sans radio, sans lumière, dans une embarcation qui n'avait pas plus de vingt mètres de longueur, qu'eût-on fait si soudain, pendant qu'ils déjeunaient tous sans appétit aux terrasses des restaurants, Vincent, Mai, Augustino, et leur gouvernante Marie-Sylvie de la Toussaint, oui, si soudain tous ces rapatriés sans patrie avaient sauté du bateau pour grimper aux rives, s'accrochant de leurs sombres mains aux planches des terrasses, ou courant entre les tables, sans asile et sans refuge, criait Celui qui ne dort jamais, le frère dément de Marie-Sylvie, on les avait encerclés, ces sans-asile, dans l'archipel des Bahamas afin que jamais ils ne touchent terre, oui, on les verrait courir entre les tables, rejeter dans l'océan les tables des terrasses, leurs chaises, par-dessus bord, ou allaient-ils tous se réfugier dans les églises, les temples, l'ouverture des *Noces de Figaro* de Mozart sera aussi au programme, disait dans sa quiétude Julia Benedicto à Marie-Sylvie, il faut leur apprendre très tôt à apprécier la musique, c'est la grand-mère des enfants qui aspire pour eux à ces études de musique, dit Marie-Sylvie, d'un ton plus soumis, soudain, ce n'était que feinte soumission à la volonté d'Esther ou de Mélanie, Marie-Sylvie pensait avec révolte que Julia Benedicto avait eu trop de chance, c'était une femme éduquée quand Marie-Sylvie n'était qu'une servante sans ambition, tous ils savent que nous gardions les chèvres, mon frère et moi, pensait Marie-Sylvie, sur des coteaux où l'herbe se flétrissait, nous aurons des concerts dans les parcs, sur des voiliers lancés en plein océan, par une matinée calme, ou les soirs sans vent, Brahms, Manuel de Falla, Camille Saint-Saëns, ces concerts seront pour toute la famille, disait Julia Benedicto à Marie-Sylvie qui n'entendait que la voix de son frère Celui qui ne dort jamais, criant aux infirmiers qui allaient l'interner, ils ont franchi par centaines le bassin naval, ils bondissent dans l'eau, ils courent à pied dans la lumière qui flambe sous le ciel, ceux qui dînent dans les restaurants les regardent avec stupeur, les taxis klaxonnent, tant de bruit dans la ville qu'on dirait un melon qui éclate, ils sont de Monrovia, du Ghana, tous en captivité, en état d'arrestation, les poings pris dans des menottes aux abords de la rivière Miami, les femmes attachées les unes aux autres par les mains, l'eau malpropre s'écoule des vêtements des hommes que détiennent les garde-côtes, certains ont pu s'enfuir dans une jeep, d'autres se sont noyés, qu'était-ce que la musique, le chant des instruments et des voix, pensait Marie-Sylvie, qu'était-ce que la musique, pendant un concert dans un parc où roucoulaient les tourterelles, ou sur la mer, par un dimanche après-midi, attirant ces détestables familles unies sous leurs chapeaux de paille, quand se projetait encore sur les murs de la ville la course effrénée de ceux qui avaient des menottes aux poings, qu'ils entrent, ces sans-asile, pensait Marie-Sylvie, dans ces restaurants où l'on déguste le crabe, la chair de la langouste, qu'ils défoncent les portes avec leurs genoux, qu'ils escamotent de leurs bonds entre les tables quelques morceaux de pain, qu'ils soient aussi lestes que l'aigle sur sa proie, dans le harcèlement de toutes ces pensées, Marie-Sylvie regrettait que Jenny ne fût plus près d'elle, comme autrefois, dans la maison de Daniel et Mélanie, médecin sans frontières en Corée du Nord, et demain en Colombie, toujours disposée à servir en cas de catastrophe, Jenny avait bien peu de temps à consacrer à Marie-Sylvie, n'avait-elle pas écrit à Marie-Sylvie d'essayer de dominer en elle les sentiments ravageurs de l'exilé, de l'orphelinat de Yong Yun, un village de Corée du Nord, Jenny écrivait que la famine, la malnutrition arrachaient autour d'elle les vies, hier quarante enfants de moins de deux ans, demain le double, une crise humanitaire aiguë, nous manquons de vivres, je n'entends que des pleurs, je vois ces petits qui grattent de leurs doigts ces boursouflures de la faim qui leur font si mal, je les endors dans les lits étroits de l'orphelinat qui seront leurs tombeaux, quand ils ne crient plus, ne pleurent plus, je viens m'allonger près d'eux afin que leur mort soit plus douce, je chante pour eux comme le faisait pour moi ma mère, j'étends mes mains sur leur front d'où suinte une sueur glacée, je les emmaillote dans une couverture grise, Marie-Sylvie lisait les lettres de Jenny en pensant à l'aube de sa vie, avec son frère, dans ce village près de Jérémie où l'on brûlait encore les sorciers pratiquant la magie noire, venaient-ils au chevet d'un enfant malade que l'enfant mourait aussitôt, Marie-Sylvie pensait que ces sorciers penchés sur les berceaux des enfants n'étaient autres que la Faim, la Guerre, ce fléau qui avait esquinté le cerveau de son frère, ces noires magiciennes contre lesquelles luttait Jenny, oui, Jenny avait abandonné Marie-Sylvie à sa lugubre solitude, à quoi bon attendre son retour quand elle partirait dans quelques semaines pour la Colombie, médecin secouriste apportant médicaments et abris à ceux qui étaient sous les décombres, là où les stades se transformeraient en morgues, les autobus en salles d'opération de fortune, ainsi serait l'existence de Jenny pendant que Marie-Sylvie n'aurait de sollicitudes que pour des enfants trop choyés par leurs parents, et Marie-Sylvie eut honte de ses pensées, se souvenant de Mai endormie dans ses bras, à la fin d'un dîner dans l'un de ces restaurants où ils allaient le dimanche, pendant que Mai dormait dans ses bras, Marie-Sylvie n'osant aucun mouvement qui eût pu troubler ce sommeil candide, le cœur tari de Marie-Sylvie n'avait-il pas été inondé de joie, n'avait-elle pas pensé, eux qui ne me connaissent pas, qui ne savent pas qui je suis, m'aiment, confiante soudain que l'avenir serait pour elle moins accablant, il eût fallu que les enfants fussent toujours aussi petits, qu'elle ne fût jamais jugée par eux, d'un air plus décidé, moins soumis, Marie-Sylvie avait repris les enfants dans la salle de musique de Julia Benedicto, les ramenant à la maison dans la voiture de Mélanie, promettant ce jour-là à Vincent une promenade en mer dans le bateau de Samuel, à condition que le ciel fût sans nuages, Mélanie qui ne rentrerait de Washington que le lendemain n'eût sans doute pas accordé cette permission aussi facilement, pensait Marie-Sylvie, mais qu'y avait-il à craindre si le temps était beau, Marie-Sylvie n'était-elle pas une aussi bonne navigatrice que Mélanie, oui, ils iraient demain, si le temps était beau, dit Marie-Sylvie à Vincent, s'irritant en silence du fait que le bateau de Samuel, accosté à la marina, portât à ses flancs cette inscription orgueilleuse, *Lumière du Sud*. Quelqu'un sonne à la porte, dit Caroline, je ne puis venir, je suis dans la chambre noire, Charly, languissante, n'allait pas ouvrir, elle polissait ses ongles d'un vernis noir, proche du rouge à lèvres noir dont elle avait peint ses lèvres, sortant de la chambre noire, Caroline avait écarté Charly en lui recommandant de se vêtir, on ne recevait pas les gens chez elle dans une culotte de bikini, mais nous ne voyons jamais personne, dit Charly qui s'étirait, ensommeillée, près de la piscine, tout en soufflant sur les ongles de sa main droite, et soudain Charly l'avait vu, il était là, c'était lui, Edouardo, le Mexicain aux cheveux tressés, Edouardo, Caroline se parlaient à voix basse près de la porte entrouverte sur le jardin, que venez-vous m'apprendre là, mon ami, disait Caroline, décontenancée, que vous partez ce soir pour l'Italie, non, cela ne peut pas être vrai, Edouardo, balbutiait Caroline, inclinant sa tête sur l'épaule d'Edouardo, non, mon ami, cela ne peut pas être vrai, et Charly pensait en regardant cette tête et cette épaule rapprochées, quel complot entre eux, quel accord tacite, voici qu'ils joignent leurs mains dans une même connivence, mais sciemment, Caroline poussait Edouardo vers la véranda du jardin, elle ne voulait pas qu'il vît le désordre de la maison d'habitude si ordonnée, ni la teinte poussiéreuse de ses cheveux, elle qui avait négligé de visiter le coiffeur, et quelle ménagerie dans la salle de séjour, ces trois chats angoras que venait d'acquérir Charly, le terrier du Yorkshire dont le poil eût nécessité un meilleur entretien, mon Dieu, quel désordre, soupira Caroline, observant aussi que le bâton de rouge à lèvres avait tacheté les doigts de Charly qui boudait, un pied dans la piscine, il faut t'habiller, je vais bientôt sortir, dit Caroline, j'ai besoin de ma voiture, sa voix était neutre car Caroline pensait avec tristesse à la publication du livre de photographies avec Jean-Mathieu, oui, tous ces por-traits des poètes du siècle passé, cette œuvre n'était-elle pas sérieusement compromise, dit-elle à Charly, ses yeux assombris ne se posant plus sur Charly, mais sur les limet-tiers, les rosiers qu'il faudrait arroser, dit-elle, et qu'était-ce que cette poupée de chiffon percée par des aiguilles, sur le lit de Charly, demanda Caroline, cela n'était-il pas de mau-vais augure, personne ne doit venir dans ma chambre, dit Charly, ni vous ni la bonne, je suis chez moi, dans ma mai-son, dit Caroline, sans autorité soudain devant cette fille à l'esprit désaxé, comment avait-elle espéré en faire son chauffeur, ce n'était qu'une sauvage, la poupée, cette figu-rine de sexe masculin, représentait un être humain, les aiguilles lacérant le tissu des bras, de la poitrine de la pou-pée, c'était odieux, il faudrait se débarrasser de Charlotte, d'autant plus que Caroline avait la certitude que Charly lui volait de l'argent, par petites sommes, peu à peu, à moins que la poupée ne fût qu'un substitut érotique pour Charly, ne sortait-elle pas le soir, la nuit, avec cette poupée dans son sac, s'enfuyant sur sa moto, à la manière d'un garçon, soudain effondrée de langueur, Caroline avait imaginé sa vie sans Charly, quelle existence sans surprises ce serait bientôt, vouée à l'incarcération dans un hospice de vieillards, à la sénilité, car Edouardo lui avait appris cet après-midi une nouvelle désastreuse, surtout cette nouvelle au sujet de Jean-Mathieu était une fausse alerte, son brave ami se remettrait, elle répudierait de sa maison cette fille déséquilibrée, elle et ses obsessions fétichistes, cette fille qui ne savait sans doute à cause de ses origines que mentir et voler, oui, Charlotte était métissée, après tout, Caroline aurait le courage de lui dire, va-t'en, Charly, je ne veux plus te voir ici, cette pensée la rendait toute frissonnante soudain, peut-être, après le départ de Charly, Jean-Mathieu consentirait-il à partager sa maison, ce cher Jean-Mathieu ne l'avait-il pas toujours adorée, depuis qu'ils avançaient en âge, tous les deux, Caroline, Jean-Mathieu, elle craignait qu'ils fussent de ridicules amoureux, oui, Jean-Mathieu reviendrait et ils sortiraient, voyageraient ensemble, ce qu'Edouardo lui avait appris aujourd'hui, la nouvelle désastreuse, c'était un mensonge, que se passe-t-il, demanda Charly, redevenue câline, qu'avez-vous, Caroline ne dit rien et marcha vers sa chambre, est-ce assez absurde de songer que des gens qui ont plus de soixante-quinze ans, pensait-elle, tels Jean-Mathieu et moi, soient condamnés par la société à ne plus connaître l'amour ni la passion, pourquoi cela fût-il désormais décidé pour nous que nous fussions incapables de désir, de sensualité quand devant la stupéfaction de la vieillesse, nous ne sommes que cela, des êtres mendiant l'amour, ce que personne d'entre nous n'a la force de s'avouer, ni Jean-Mathieu ni moi, l'effarement de cette journée infligeait la migraine à Caroline, ou était-ce un total désarroi des sens, qu'était-ce, pensait Caroline, alarmée soudain de ce que Charly pût partir, car lorsqu'elles se querellaient, n'était-ce pas presque tous les jours depuis quelque temps, Charly menaçait Caroline de partir pour la Thaïlande où elle avait tant d'amis, elle irait à Bangkok où elle obtiendrait un emploi avantageux, ou sur les plages de Surat Thani, l'île de Ko Phangan, et Caroline voyait déjà Charly dansant jusqu'à l'aube, un anneau au nombril, par les nuits de pleine lune, son seul vêtement peut-être, la verte salopette des pêcheurs des îles, là-bas tous ces beaux jeunes gens à la taille fine ne vivaient que pour la danse, pensait Caroline, la transe des drogues et l'extase des plaisirs nocturnes, une nouvelle civilisation vient d'éclore avec nous, disait Charly, car Charly croyait sincèrement être l'héritière du paradis des îles, pour trois dollars par jour on pouvait louer un bungalow sur les sables blancs de ces plages, n'était-ce pas la Grèce nouvelle avec sa mer de corail, on venait de tous les coins du globe pour cette quête idyllique, disait Charly, de Londres, du Japon, de jeunes réfugiés tech y accouraient de la vallée de Silicon, ces enfants de la nouvelle civilisation n'ont aucune morale, pensait Caroline, tatouée, un anneau au sein, au nombril, comment cela finira-t-il pour Charly, la mort par saturation de drogues, de promiscuité sexuelle, ou la noyade par inconséquence dans cette mer de corail, Charly n'avait donc pas saisi intuitivement qu'il était dangereux de vivre toujours grisée de toutes les tentations, sur cette terre, non, Caroline ne dirait pas à Charly de partir, bien qu'elle la jugeât malhonnête et rusée, la présence de Charly dans cette maison lui était peut-être maléfique, mais désormais Caroline ne pouvait plus vivre seule, cette migraine, cette

sinueuse fatigue, et pourquoi Edouardo avait-il franchi le
seuil de sa porte quand elle ne voulait voir personne, il eût
mieux fait de veiller sur Frédéric, et Charles, pourquoi
n'avait-on aucunes nouvelles de Charles en Inde quand la
critique louait tant son dernier livre, cette nouvelle désastreuse au sujet de Jean-Mathieu, non, ce n'était pas vrai,
Edouardo avait dit qu'il partirait ce soir pour l'Italie, qu'il
serait de retour avec Jean-Mathieu, Caroline attendrait,
elle serait patiente, ce désarroi ou cette angoisse ne dure-
raient que quelques heures, oui, elle serait patiente,
Edouardo avait dit qu'il serait de retour dès le lendemain,
peut-être, avec Jean-Mathieu. Et Carlos pensait qu'il serait
à l'abri derrière cette baraque, jusqu'à l'heure du soleil
couchant, bien que le soleil fût encore brûlant dans le ciel,
qu'une poule fût là à glousser parmi ses poussins, dans les
déchets de la cour, c'était une cour encombrée de pneus de
voitures, de pièces de métal dépareillées, bouteilles de soda
vides aux fades effluves, eût-on troqué ici du crack, de la
marijuana contre un fusil chargé ou le capot d'une voiture,
la peinture blanche des murs de la cabane s'écaillait, les
trous de ses fenêtres aux vitres fendillées ouvraient des
bouches noires sous un grossier papier bleu tendu d'un
côté à l'autre de la masure, qui eût habité cette maison
croulante, pensait Carlos, s'épongeant le front dans son
t-shirt, ce Lazaro, pensait-il, la montre Adidas, que de san-
guinolents fantômes dans la brume de chaleur qui s'élevait
des rues, des trottoirs, jusqu'à la mer d'une écœurante tié-
deur, car le feu du soleil n'allait-il pas tout attiédir, effriter ;
les lourdes fleurs rouges, semblables à des raisins capiteux
du cereus qui ne fleurissait que la nuit, les fruits corpulents
de l'avocatier, du limettier, du papayer, du manguier dont

se délectaient les oiseaux en été, le liquide gélatineux de ces fruits eût coulé sur les lèvres de Carlos, calmant sa soif rageuse, le poinciana royal, l'orchidée, les fleurs du frangipanier aux arômes sucrés, mais tous ces fruits, toutes ces plantes, tous ces arbres, pensait Carlos, seraient luxuriants, efflorescents, dans la chaleur comme sous les ondées de la nuit, florissants seraient tous les jardins, quand Carlos, lui, ne connaîtrait que la peur, l'opprobre, la fuite dans les antres, s'il ne longeait pas dès cette nuit les rives broussailleuses du canal, l'île aux Arbres, havre des bateaux, où dérivaient tôt le soir les barques des pêcheurs d'huîtres, leurs embarcations à moteur glissant presque sans bruit entre les lueurs des lumières clignotantes des bateaux, des voiliers s'entrecroisant sur les plis de l'eau, élevant leurs mâts et drapeaux, les hommes de ces barques, pressés de laisser s'échapper sur les quais une progéniture aussi terreuse que les huîtres de leurs seaux, ces fils aux jambes boueuses qui campaient avec eux sous les pins de l'île aux Arbres, sur cette côte des Mangroves où, en dérobant l'une de ces barques amarrées sur le sable, Carlos naviguerait jusqu'à la maison de Vénus, il ne fallait pas que l'un de ces malins enfants, campeur dans la brousse, le vît, ces barbares l'eussent harponné comme leurs requins dont la carcasse fuselée saignait au soleil, oui, plus loin, Carlos serait enfin à l'abri, Lazaro, la montre Adidas, fantômes dissous dans la brume de chaleur des rues, des trottoirs, sur ces rues, ces trottoirs descendaient avec sûreté, comme au milieu des voitures, les pigeons, les colombes, et Carlos pensait à ce que lui avait dit l'officier, aucun barreau dans nos prisons, aucun repos dans nos cellules, si on arrêtait Carlos, ce serait pour l'expédier au défrichage des forêts de poivre brésilien où l'air est irrespirable, Carlos construirait des autoroutes, ses mains, ses pieds, dans les épines, les chardons des marécages de serpents, dix heures par jour, il piocherait sous le lancinant soleil des canicules et des étés de tornades, sans chaînes ni boulets, telle était la nouvelle réforme pour les prisonniers, Carlos irait couper les broussailles, les buissons jusqu'à ce que toute la forêt soit nettoyée, que des routes entières soient édifiées, à la sueur de votre front, disait l'officier, vous serez tous surveillés par nos escadres, aucun barreau dans nos prisons, la brousse hostile, ses crocodiles, ses serpents venimeux, le poivre brésilien aux mortels résidus, et pensez que vous êtes parmi les favorisés de ce monde, en Asie, on vous injecterait le venin d'une fleur toxique qui vous secouerait d'hallucinations si vivaces que peu à peu votre esprit ne contrôlerait plus ses délires, on devrait vous enfermer plus tard dans le Jardin de Toutes les Joies avec les fous, nous ne savons chez nous combien meurent à la tâche dans la brousse, non, l'officier ne les comptait plus, pensait Carlos, ces nègres constructeurs d'autoroutes, seuls étaient blancs les shérifs qui les guettaient, sans arme, sous un ciel de plomb, oui, pensait Carlos, on l'enverrait dans ces forêts où croissait le poivre brésilien, il serait intoxiqué par son pollen comme ces prisonniers asiatiques par la fleur du lamphong, comme eux il perdrait la raison, ou mourrait-il en ne laissant aucune pièce d'identité, aucun nom, aucune trace, Lazaro, pensait Carlos, à cause de ce Lazaro, il irait en prison, non, il s'évaderait, leur ferait peur à tous, de sa large main accueillant si souvent les animaux, Carlos guidait d'un geste brusque la poule, les poussins aux cris pointus sous la carrosserie d'une voiture échouée par pièces dans la cour infecte, oui, son évasion serait simple, pensait-il, en se sauvant dans l'une de ces embarcations pendant la nuit, on ne le verrait pas disparaître, partout des installations portuaires, le chantier naval, les bassins des ports, les régates, bateaux à voiles et à aviron prêts pour la course de dimanche, les catamarans express vides pendant que buvaient le samedi soir les capitaines de commande se soûlant jusqu'à l'aube dans les tavernes aux odeurs de poisson, de sueur d'hommes, où Carlos amenait Polly sans laisse, les grands bateaux de croisière, *Les Loups*, *L'Échoué du rivage*, *Le Légendaire*, *L'Oasis sans réveil* où l'on pêchait pendant quatre jours sans dormir, les drapeaux flottant dans le vent, d'abord Carlos devait déguerpir d'ici où il eût été souhaitable qu'aucune âme ne vive, pas même ces poussins et leur mère, voletant, caquetant, tenant à la vie sous la carrosserie de la voiture par le fil blond d'un duvet, voletant, caquetant auprès de leur mère, et Carlos crut entendre pleurnicher quelqu'un, cela semblait venir de l'extérieur de la cabane, il effeuilla le grossier papier bleu tendu sur les fenêtres, par l'un de ces trous, l'une de ces bouches ombreuses, on le voyait, c'était un garçon noir de cinq ans peut-être, portant un chandail à carreaux sur des jeans très courts, assis sur un matelas sans couverture, fondu dans la crasse qui l'entourait, on sentait que personne n'avait pris soin de lui depuis quelques jours, pensait Carlos, il tenait sur ses genoux en pleurnichant un objet qui paraissait plus gros que lui, c'était un fusil semi-automatique, oui, c'était bien cela, reconnut Carlos, un fusil semi-automatique Davis 32, il reconnaissait l'arme car c'était une arme comme celle-ci qu'il avait volée au cuisinier cubain, une arme de protection dont on disait qu'elle n'était pas chargée, Carlos revit Lazaro s'écroulant sur le trottoir, la montre Adidas, que de sang, dans cette brume de la chaleur montant des trottoirs à midi, bien que le garçon de cinq ans eût l'air famélique, le fusil, sur ses genoux, le fortifiait, faisait de lui un être menaçant, pensait Carlos, combien d'armes à feu y avait-il dans ce hangar, de sacs de poudre de cocaïne, de crack, quelqu'un ouvrirait bientôt la porte de ce taudis, le père de l'enfant peut-être, son oncle, d'une main ferme l'enfant avait ramassé le fusil sur ses genoux, je vais détaler d'ici sans attendre la nuit, pensait Carlos, enfouissant ses cheveux dans sa casquette, car n'était-il pas trop reconnaissable avec ses cheveux épais, on possédait une photographie de lui, en ville, depuis ses premiers vols et délits, mais des banalités, pensait-il, rien qui pût alors l'inculper longuement, quelques jours en institution avaient suffi à le réformer, disait Mama, il y avait une seconde photographie, celle du championnat de boxe avec Lazaro, Carlos, Lazaro, indestructibles dans l'arène, Carlos entendit les gloussements de la poule, les pleurs de l'enfant, pendant qu'il s'enfuyait en rasant les murs d'où retombaient les fleurs blanches, le jasmin, pensait Carlos, ne répandrait ses fleurs et ses parfums que pendant la nuit, lorsque par la mer Carlos atteindrait la maison de Vénus où il n'aurait plus rien à craindre, si aux drapeaux des grands voiliers ne scintillait pas dans la nuit quelque sinistre présage, le dessin d'un squelette blanc dans l'étoffe noire du drapeau hissé. Et au temple de la Cité du corail, le pasteur Jérémy disait à ses fidèles, écoutez le révérend Paul car il ne parle que de l'âme, vous verrez, que de l'âme, le voici dans notre église pour le sermon, écoutez celui qui ne parle que de l'âme, et ne bougez plus sur vos chaises, ne dansez plus de la tête aux pieds, voici le révérend Paul, dit le pasteur Jérémy de sa voix retentissante, veuillez tous vous asseoir, le révérend évêque est venu du Texas pour vous parler de l'âme, et tout en cédant sa place à celui qu'on appelait le révérend Paul, le pasteur Jérémy pensait que ces nouveaux jeunes pasteurs évangélistes avaient bien de l'audace de croire qu'ils pouvaient si aisément pénétrer les mystères de l'âme et de Dieu, n'étaient-ils pas un peu prétentieux, car ni de l'âme ni de Dieu on ne pouvait rien savoir, ces jeunes pasteurs avaient un autre langage, partout des foules autour d'eux, des ralliements, nous avons très peu de temps, entre le moment où nous naissons et le moment où nous expirons, prêchait l'évêque Paul, qu'avons-nous, le temps d'un souffle, mes amis, d'une respiration, Dieu a mis en chacun de nous une idée pareille à son idée de la création du monde, une idée qui est parfaite, ce n'est pas un sermon conventionnel, pensait le pasteur Jérémy, que va-t-il nous dire maintenant, pensez, mes amis, reprit le ministre du culte qui était un homme très animé, aux yeux ardents, derrière ses lunettes saillantes, oui, pensez qu'entre cette première respiration et votre dernier souffle, vous avez le temps de concevoir une joie parfaite, maximale, vous aussi, mon idée à moi n'est pas celle du succès ou de l'accumulation de l'argent, sur cette terre, mais celle de la création d'un projet souverain et joyeux que Dieu a placé en moi, pour chaque jour de ma vie, il en est donc ainsi, pour chacun de vous, mes amis ; j'ai écrit une pièce biblique pour treize acteurs qui vous fera comprendre ce que je veux dire, mes amis, vous la verrez sur toutes les scènes de nos théâtres de l'île, oui, pensait le pasteur Jérémy, ce sont des acteurs de cinéma, maintenant, ces nouveaux évangélistes qui ne vivent plus pauvrement comme l'a enseigné le Seigneur, n'ont-ils pas d'importants comptes en banque, des voitures, ne voyagent-ils pas sans cesse en prêchant partout à des milliers de personnes qui les adulent? Le révérend Paul n'avait au début, dans son église du Texas, qu'une vingtaine de fidèles, depuis quatre ans, il compte vingt-cinq mille fidèles, dit-il, et ce prêcheur africain-américain veut regrouper autour de lui toutes les nationalités, toutes les Églises, blancs, hispaniques, professionnels et ouvriers, oui, prêchait le pasteur Paul, je ne veux oublier ni les itinérants ni les pauvres, et dans les dix-sept livres que j'ai écrits, dix-sept histoires bibliques remises au présent, c'est à eux tous que je pense, car chaque peuple a une âme, et chaque âme a sa détresse. Dix-sept livres, pensait le pasteur Jérémy, et le révérend dit avoir rencontré pendant ses croisades à l'étranger plus de quinze nationalités, quelle jeunesse, quand ce jeune homme qui a tant d'idées trouve-t-il le temps de prier, on voit qu'il n'a pas de famille, qu'eût-il fait si Dieu lui eût donné beaucoup d'enfants, une Vénus déshonorant les siens avec les hommes, un Carlos voleur que le pasteur Jérémy n'avait pas vu à la maison depuis quelques jours, le Toqué, Deandra, Tiffany et tous les autres? Dans ses sermons, ses prêches, le pasteur Paul n'abordait-il pas tous les sujets, sensible à la femme violentée, n'était-il pas le guérisseur spirituel de toutes celles qui venaient se confier à lui, tout en communiquant avec les prisonniers dans plus de six cent prisons en Amérique du Nord, sa plus récente visite dans une prison de la Louisiane avait duré plusieurs heures, on le nommait le berger des âmes fracassées, brisées, le docteur du royaume des oubliés et des déshérités, n'était-ce pas une vocation trop exigeante, pensait le pasteur Jérémy, pouvait-on faire de la religion, de la prière, des sermons d'un pasteur, d'un révérend évêque à ses trop nombreux fidèles, une industrie ? J'écoute l'appel de Dieu, répondait à cela le berger des âmes, il faut faire entendre partout sa Parole, je l'écoute, et ce que je n'ai pas le temps de faire, Dieu le fera. La liberté est un instrument qui prend diverses formes, certaines personnes croient qu'un ministre du culte ne peut être qu'un homme de prière, Dieu m'a dit, va et invente toujours quelque chose de nouveau, et sois créateur, car la Création de Dieu est en chacun de vous, et ne soyez ni sourds ni aveugles à ce que j'ai mis en vous, l'homme moderne est un consommateur, pourquoi ne consommerait-il pas le langage de Dieu à travers nous, hommes aux modernes besoins, est-ce que la spiritualité peut seule nous éclairer ? Non, nous sommes aussi des corps qui aiment consommer, en vivant, nous mangeons, tous les jours, nous regardons des émissions télévisées qui ne sont pas toutes chrétiennes, nous n'oublions rien de l'ère nouvelle où nous vivons, nous, pasteurs, nous ne voulons pas obtenir le succès, nous voulons obéir à l'appel de Dieu à travers ces milliers d'âmes qui consomment chaque jour plus qu'elles ne peuvent absorber. Voyeurs, nous pensons que ce qui arrive aux autres ne peut pas nous arriver à nous, pourtant c'est dans nos foyers que nos femmes, leurs filles, sont molestées, et nous ne faisons rien pour les protéger, nos pasteurs refusent de parler de ces cruautés que subissent tant de femmes, dans leur communauté, moi j'écris des drames dans lesquels j'expose la violence conjugale et domestique, qui, parmi nos pasteurs, se soucie de guérir autrement que par l'abstraction des mots de leurs sermons? Les âmes sont avant tout des corps blessés. La douleur est entrée en moi quand j'ai vu ma mère mourir du cancer, je me suis demandé pourquoi, lorsqu'elle est morte, on me disait, elle est maintenant au ciel, tous, ils sont tous au ciel maintenant, ces morts dont les corps ont été pétris de tant de maux, oui, peut-être sont-ils tous au ciel, mais cela nous console-t-il de ne pas pouvoir dîner avec eux, ce soir? Ou de ne pas les avoir à notre table demain? Non, la douleur est plus grande de savoir qu'ils ne seront pas avec nous ce soir pour le dîner. C'est pendant ce sermon du révérend Paul que le pasteur Jérémy se souvint de Carlos, Polly, où étaient-ils, pourquoi ne les voyait-on pas à la maison depuis deux jours, Mama disait qu'à l'âge de dix-sept ans un garçon ne dormait pas toutes les nuits chez ses parents, où était Carlos, qu'avait-il encore fait, pensait le pasteur Jérémy, le Toqué ne semblait pas savoir non plus où était son frère, qu'on eût appelé son fils le Toqué, Jambe de bois, à l'école, parce qu'il boitait, était une injustice qu'il faudrait réparer, Dieu avait marqué ce garçon d'un défaut de naissance dont il n'était pas responsable, qu'en eût pensé le révérend Paul, Jambe de bois, était-ce cela le signe de la perfection de Dieu, l'illustre évêque, le berger des âmes fracassées, le guérisseur spirituel des femmes et des jeunes filles, dans le vaste monde, entendait-il les cris éraillés du coq sous la fenêtre, voyait-il ces deux escogriffes, au premier rang, dans l'église, qui n'avaient cessé de rire et de bavarder, tout le long de son discours emporté, l'un était coiffé d'un chapeau de paille, de son maillot propre ressortaient ses bras d'une forte musculature, ce n'était pas un maillot, mais plutôt un débardeur, était-ce une façon de se vêtir pour venir prier au temple de la Cité du corail, c'était ce garnement qui avait rappelé Carlos au pasteur Jérémy, les deux garçons avaient la même allure, celui qui se tenait au côté du garçon coiffé d'un chapeau de paille était un fin garnement lui aussi, pensait le pasteur, frémissait à son bras gauche un tatouage où il était écrit, Grand-Père, Grand-Mère, qu'ils reposent en paix au cimetière, le pasteur Jérémy fit signe aux deux garçons de se taire, chuchotant de sa voix toni-truante, n'avez-vous aucun respect pour le berger des âmes qui visite aujourd'hui notre église, les yeux du pasteur Jérémy ne pouvant se détacher du garçon qui ressem-blait tant à Carlos, en se demandant où pouvait bien être son fils que l'on n'avait pas vu depuis deux jours. Assise près de son lit, à l'hôpital, Caridad disait à son fils Lazaro, ne tourne pas la tête du côté du mur comme si tu ne vou-lais rien entendre, toi qui as un jour tressailli dans mon ventre, ton père Mohammed, nous étions encore en Égypte, m'a battue quand j'étais enceinte de toi, il m'a enfermée dans sa maison, parce que j'avais demandé le divorce, les femmes, alors, n'en avaient pas encore le droit, j'avais exigé le divorce parce que ton père me maltraitait, il me séquestrait dans sa maison, je me disais pendant qu'il me fouettait, quel sera l'avenir de mon enfant, je voulais m'enfuir mais il me gardait captive, il m'a fallu beaucoup de temps pour comprendre que je n'étais pas seule, d'autres femmes allaient bientôt divorcer, elles aussi, c'était avant ta naissance, tu serais le fils de cette rébellion, ma fierté, et que fais-tu maintenant, tu ne sais pas pardonner à ton ami, veux-tu devenir comme lui, ton père, Mohamm-med, me suis-je révoltée en vain? Pendant que nos maris nous tenaient prisonnières, nous, les femmes, ils pouvaient divorcer et épouser plusieurs femmes, la tradition religieuse permettait aux hommes d'avoir quatre épouses à la fois, et cela se faisait alors couramment parmi les hommes, et ils n'avaient pas à obtenir une autorisation légale, quant à nous, femmes divorcées, nous ne pouvons espérer le moindre secours financier des pères de nos enfants, que de combats pour nos droits les plus élémentaires, Lazaro, et toi, tu ne sais pas même pardonner à ton ami, et Lazaro pensait en serrant les dents, qui a dit cela, quels esprits avancés dans ces universités qui me répugnent ont osé dire que demain l'homme et la femme seront des êtres égaux, c'est une fausseté, j'obéirai à la loi du sang de mes frères, de mes cousins, je suis le fils de Mohammed, cette femme débauchée par des idées nouvelles n'est pas ma mère, non, les hommes et les femmes ne seront jamais égaux, dans les pincements de la douleur à son genou, la fièvre brûlant ses tempes, Lazaro souhaitait de tout son cœur que Carlos fût arrêté, interrogé, jeté en prison, car dès qu'il pourrait se lever, marcher, sans écouter cette mère plaintive, Lazaro, oui, se vengerait, Lazaro qui ce jour-là comprenait qu'il était un homme. Encore quelques heures, pensait Caroline, et Jean-Mathieu serait de retour, car la parution de leur ouvrage ne devait pas être compromise, sur un versant de la page, un poème de Jean-Mathieu, sur l'autre, une photographie en noir et blanc de Caroline, Caroline ne photographiant toujours que des poètes célèbres, n'était-ce pas de façon incomparable, pensait-elle, Jean-Mathieu serait ainsi honoré, l'art de photographier de Caroline n'étant que celui de la vraisemblance, de l'exactitude dans le portrait, des visages en apparence impassibles s'exhalait la vie, coupable d'indifférence, Caroline n'était pas de ces artistes photographes valeureux qui avaient enregistré du siècle défunt les images les plus nocives, pétrifiantes, non, elle n'était pas parmi ces hommes, ces femmes, dont l'objectif avait dénoncé une famine au Soudan, une autre en Éthiopie, la vision de ces plaintes n'avait pas ulcéré son cœur, car eût-elle photographié, comme l'un d'eux, l'émouvant Kevin Carter, cette petite fille décharnée du Soudan assaillie par un vautour, quand elle allait en chancelant vers une station de secours, l'oiseau de proie aussi affamé que l'enfant, la fixant d'un œil éteint dans sa tête dénudée, après l'avoir attaquée, Caroline eût-elle photographié ce désastre sur une plaine du Soudan ou hier, et encore demain, ces cadavres de bébés aux yeux grands ouverts sur les seins ridés de leur mère, qu'elle se fût peut-être suicidée à trente-trois ans comme le photographe qui avait écrit, je pars, je suis désolé, la douleur de la vie a tué en moi toute la joie de la vie, au point où cette joie n'existe plus, je pars, je suis bien désolé, et quel fardeau serait pour toutes les consciences cette image de l'enfant attaquée par un vautour, le photographe dût-il mourir empoisonné par le monoxyde de carbone, était-ce la faute de Caroline si des millions de femmes, d'enfants s'apprêtaient à mourir au Soudan hier, aujourd'hui à Nairobi, des organismes humanitaires enverraient là-bas des tonnes de nourriture, car les pays riches, et une femme de modeste fortune comme Caroline, tous ils s'offensaient à la vue de ces formes squelettiques sur l'écran de leur télévision, qui était donc responsable d'une telle lenteur du transport des vivres, la vision de ces petits squelettes entre les bras de leur mère était insoutenable, pensait Caroline, on ne parvenait pas à oublier ces femmes, ces enfants, pendant que l'on dormait, mangeait, même en utilisant son ordinateur ou son téléphone cellulaire, eux mouraient, pendant ce temps, qui fallait-il accuser, coupable d'indifférence, Caroline ne pensait qu'au retour de Jean-Mathieu, non, ils ne se quitteraient plus, iraient déjeuner tous les jours près de la mer, qu'avait donc dit ce pessimiste Edouardo, il se pourrait bien, ma chère Caroline, que vous ne revoyiez pas Jean-Mathieu dès le lendemain, au plus tard, dans quelques jours, ils marcheraient au bras l'un de l'autre ; c'est aux grands photographes journalistes que l'on devait la continuité de la mémoire du monde, pensait Caroline, ces photographes auteurs de pietà modernes s'emparaient partout de leurs sujets, les exposant au feu vif, pendant une guerre, une crise sociale, dans l'empoisonnement de l'air d'un village de pêcheurs de Minimata, au Japon, on voyait ces pietà déformées de notre temps, une mère baignait sa fille Tomoko que les vapeurs du mercure avaient paralysée dans de terribles convulsions, le sourire de cette mère japonaise à son enfant dont les poisons du mercure avaient crucifié les bras et les jambes, ce sourire, nulle œuvre d'art n'eût su en traduire la muette compassion, sinon cette sensibilité de l'instant du photographe de génie, ce photographe savait reproduire comme si elle eût été dessinée à la main, la couche d'encre qu'engendrait une fabrique de pneus chez les habitants d'une ville de la Roumanie ruinée par la dictature, ces habitants n'étaient-ils pas tous cuits au charbon, naissant dégénérés ; devant ces photographies, étions-nous encore sur la terre, pensait Caroline, entendions-nous encore dans les arbres, comme aujourd'hui, le chant des tourterelles, ou les arbres de cette

178

ville de la Roumanie avaient-ils tous perdu leurs feuilles, leurs oiseaux, dans la fumée, la cuisson de l'air, aussi cuit, cet air, que l'air de la ville d'Hiroshima, quelques secondes après la déflagration, Justin, dans ses livres, avait décrit ces femmes, ces hommes se relevant dans leurs habits de cendres, quelques minutes, sept ou huit tout au plus, après, et ce moment d'après la bombe signait d'une écriture de sang, de cendres, l'aube d'une époque où nous ne serions plus les mêmes, est-ce ainsi que Justin définissait la victoire de l'âge atomique, une calamité, eux, se relevant dans leurs habits de cendres, dans leurs chaussettes de laine, leurs bottes, n'étaient que des hommes sortant de leur maison pour se rendre à leur travail, qu'avions-nous inventé qui fût pire que l'enfer, est-ce ainsi que parlait Justin, une détérioration de la conscience universelle, avait-il écrit dans ses livres, Caroline pensait qu'elle n'avait pas toujours approuvé les idées pacifiques de Justin, n'y avait-il pas des violences justes? Coupable de froideur, devant les souffrances de l'humanité, Caroline n'avait eu que des soucis de beauté, d'harmonie, en un monde où tout ce qui était beau, harmonieux, avait été dénaturé, défiguré, que n'eût-on remis à ses soins de physionomiste habile le profil de Mozart tel que l'avait peint le peintre Lange, à l'âge adulte, si vite, de son objectif elle eût enluminé de l'ensemble des traits de l'âme pure le front trop haut, les joues qui manquaient de grâce, teintées de la rougeur des lèvres, l'œil contraint sous la paupière baissée en de profondes réflexions, car c'était sous cet ensemble des traits de l'âme que transpirait l'intensité de la musique, et les cheveux, combien elle eût aimé peindre les sourcils, les cheveux touffus, sur le crâne mozartien, et le col de la chemise sur la veste brune, l'art de Caroline eût rendu hommage à toutes ces figures habitées de grandeur autant que de simplicité, n'eût-elle pas vécu joyeuse en ne faisant que cela, le profil de Mozart, fût-il dans l'adversité de la création, celui de Yehudi Menuhin, à la fois cristallin et replié, elle eût surtout photographié le jeu des doigts pâles sur l'archet du violon, d'où le sang semblait s'être retiré, eût-elle connu l'enfant prodige, qu'elle l'eût peut-être embrassé comme l'avait fait Albert Einstein en s'écriant, maintenant je sais que Dieu existe, au ciel, mais tous ne partageaient pas la gloire sans tache de ce fils d'immigrés russes, tous ne comprenaient pas qu'il fût un messager de paix envoyé parmi nous, n'avait-il pas grandi, émerveillant ses auditoires à New York, pendant que grandissait Anne Frank qui serait immolée avec tous les siens, succombant au typhus à Bergen-Belsen, cette enfant normale eût sans doute espéré que l'on n'attendrait pas d'elle de si grandes choses, pensait Caroline, ne pas devenir si jeune légataire de la dignité humaine bafouée, on l'avait photographiée, était-ce un parent, un ami, son père, Otto, peut-être, assise, souriante, jambes et épaules nues sous les bretelles d'une jupe estivale, dans un pré de trèfles à fleurs blanches, confiante en cette accalmie du moment, car comment eût-elle pu prévoir en ce magnifique jour d'été de l'année 1935, en Hollande, ce qui serait bientôt à sa porte ; oh ! qu'elle fût longtemps sous les yeux de son père, dans ce pré de fleurs blanches, souriant à l'avenir, le soleil échauffant ses membres graciles, avant qu'elle ne fût pour tous une icône sur laquelle tant de noms seraient greffés, qu'elle fût longtemps cette enthousiaste écolière écrivant, à son propre pupitre, qu'elle n'eût pas à se murer dans ce sombre atelier à Amsterdam où elle écrirait dans un texte prophétique, presque sacré, l'arrivée de la Machine à destruction aux rouages sans bruit, longtemps après que je ne serai plus, je veux continuer de vivre, écrirait-elle un an avant sa mort, à Bergen-Belsen, comment eût-elle su, elle qui ne pensait qu'au don de sa joie aux autres, que tant de douleur serait transmise par elle au monde, comme si elle eût été avertie par un ange que ce journal de la dépossession, elle ne l'écrirait pas que pour elle-même mais aussi pour ceux qui ne tarderaient pas à naître dans les camps de la mort, que c'était pour eux, ceux qui ne survivraient pas, qu'elle écrivait l'histoire de sa lutte sans merci où soudain elle accepterait avec lucidité que ce monde ne fût alors que misères et mort, ne serons-nous pas tous détruits par cette foudre, cette décharge que pour l'instant nous entendons à peine, et pourtant un jour reviendront la paix, la tranquillité, ai-je raison d'être à l'écoute de ma seule conscience ? Elle avait entendu les rouages de la Machine sans bruit, pendant qu'elle écrivait, dans ce sombre atelier d'Amsterdam, d'où elle ne reverrait jamais la couleur du ciel, elle n'irait jamais dans les bibliothèques, les cinémas, se joindre aux jeunes gens de son âge, oh ! qu'elle fût toujours cette enfant souriante, dans un pré de trèfles aux fleurs blanches que photographia son père, peut-être, qu'elle ne fût pas cette petite fille qui avait tout vu, tout pressenti jusqu'à cette image de l'horreur finale captée par un photographe, la route menant à Bergen-Belsen, le jour de la Libération où marche un enfant de huit ans, évitant de regarder les milliers de cadavres jonchant les abords des routes, sous les arbres, ce jeune garçon dans le paysage mortuaire qui marche en toute hâte, sans se retourner, dût-il errer longtemps sans pays, sans maison, refoulé le lendemain aux frontières de la Palestine, marcher, respirer, vivre, mais surtout ne jamais plus se retourner, semble-t-il penser sous les plis précoces de son front contrarié, que Caroline n'eût pas à savoir et à voir ce qui était inadmissible qu'elle vît dans la peine de l'impuissance, le chagrin, qu'elle n'eût à photographier que ce qui était gracieux, quelque agrément de l'existence, artisane esthète comme le fut Eugène Boudin peignant de gracieuses silhouettes sur la plage de Trouville, elle ne serait jamais parmi ces photograveurs marquant leur époque, époque en voie de s'évanouir avec eux, tout en obtenant par des procédés photographiques quelques planches gravées dans cette matière même de la vie qu'entrelaçaient toutes les déchirures, non, pour Caroline, que tout ne fût que charme exquis, ce profil de Mozart tel que l'avait peint Lange, non sans rigueur, les mains de Menuhin, tous ces attraits de la musique ou de la danse, l'euphorique visage de Jim Morrison, ressortant dans un habit de cuir, de la grotte rouge d'un décor de scène, de lui aussi elle eût aimé photographier le profil renversé, les mains nouées au microphone, le corps droit du chanteur, ne fallait-il pas tout conserver d'eux tous seulement, ce front acharné de Glenn Gould strié d'une barre veineuse, la grâce de Nijinski ou celle du séduisant Rudolf Noureïev? Car qu'ils fussent proches ou loin de nous, ces corps ne seraient jamais assujettis à notre corruptibilité, aucun photographe ne pouvait pervertir ni altérer leur immuable beauté, leur grâce arrêtée, désormais aussi fixe dans les photographies que ces visages assemblés autour d'un repas, dans un tableau du Caravage, Caroline pensait qu'il était trop tard pour corriger sa lâcheté et tant de faiblesses de son caractère, à quoi bon s'avouer à soi-même ces tristes pensées, elle n'était faite que pour les bonheurs de la vie, le confort, et quoi de plus inconfortable que d'attendre le retour de Jean-Mathieu, où était Charly, Caroline l'enverrait chercher quelques médicaments pour ses migraines, dans sa voiture, ce n'était plus l'heure de nager dans la piscine, quel désordre dans cette maison, il faudrait aussi appeler la bonne et songer à aller chez le coiffeur, je dois me préparer pour l'arrivée de Jean-Mathieu, murmurait Caroline d'une voix évasive, quel temps fait-il là-bas, oui, sa traversée sera-t-elle bonne, car il faut que je le revoie, je ne suis pas prête, non, et tout en nageant dans la piscine, Charly entendait la voix cassée de Caroline, c'est une vieille femme, pensait Charly, et qui deviendra d'humeur difficile, acariâtre, peut-être n'aurais-je pas dû brûler la lettre de Jean-Mathieu avec mon cigarillo, cette lettre calligraphiée du poète, avec ses idioties, ses fioritures, puisque cette lettre était peut-être la dernière lettre d'amour destinée à Caroline, mais en émiettant les mots noircis par le feu, dans la mer, Charly avait exorcisé sa colère, ses démons, sa mère en Jamaïque lui eût reproché cette méchanceté, mais Jean-Mathieu, cet homme gentil, élégant, Caroline ne pourrait un jour qu'en abuser comme de sa bonne, de sa secrétaire ou de Charly, et puis Caroline n'était-elle pas trop absorbée par lui, ces parfums acides de l'eau, pendant que se consumait la lettre sous la flamme du cigarillo, non, Charly n'avait pas eu tort de brûler la lettre, pensait-elle, cette race des maîtres à laquelle appartenait Caroline ne serait jamais assez offensée, choquée, Caroline était avare quand Charly la comblait de cadeaux, ces chats angoras que Charly avait déposés sur ses genoux avec l'offrande de sa tête caressante aux yeux menteurs, ces chats dont Caroline se plaignait sans cesse, c'est avec mon argent que tu as acheté ces chats, Charly, tu ne fais donc que dépenser, je ne suis pas riche, tu sais, pour qui me prenez-vous tous, comment avoir le courage de répudier cette fille, pensait Caroline, cette odeur acide de l'eau, du feu, pensait Charly, la dernière lettre d'amour à Caroline, peut-être, et Daniel pensait qu'il était toujours mécontent de lui, lorsqu'il longeait le chemin des coquelicots, il avait si peu écrit dans sa chambre austère tandis qu'il lui faudrait bientôt rejoindre sa famille, comment écrire sainement sans un enfant sur les genoux, Mai ou Vincent, que de sentiments contradictoires car Daniel voyait si peu ses enfants quand il écrivait à la maison, aimant surtout les sentir près de lui sans les voir, c'était ce chemin des coquelicots qui le happait de ses âcres nostalgies, pourquoi Samuel lui écrivait-il si peu, de New York, s'inquiétait-on assez autour de lui de la faible constitution de Vincent, Vincent que son père avait failli tuer en oubliant ses remèdes, pendant une promenade en mer, il était peut-être préférable que Samuel n'écrivît pas souvent à son père, lui qui déformait les lettres et les sonorités, bien qu'il fût le fils d'un écrivain, quand donc apprendrait-il sa grammaire, à conjuguer les verbes, comme l'avait écrit Samuel au son dans une lettre à Daniel, mon cher papa, n'es-tu pas *déplassé*, déclassé, indésiré, auprès de tous ces écrivains et artistes dans ton *monastaire* espagnol qui sont comme moi tous des jeunes gens, tu es sans doute bien *dépayisé*, délaissé, te délassant bien peu, toi qui es déjà si vieux, mais je n'ai pas même quarante ans, allait rétorquer Daniel, à son fils, qui lui a donc mis en tête cette idée que son père était vieux ? Cette descente à pied vers le chemin des coquelicots, sous le doux soleil de juin, en Espagne, le plongeait dans la mélancolie, pensait Daniel, ce soleil que fuyait Rodrigo, pour faire la sieste ou écrire dans sa pénombre de fraîcheur, entre les murs de sa cellule, avec quelle languissante lenteur s'écoulaient ces après-midi où l'écriture était elle-même dormante, quand Daniel lisait ses notes devant le carré de sable du jeu de pétanque désert avec le chien Heidi qui l'abandonnait abruptement pour courir, toutes pattes levées, vers la forêt, l'obscurité de ses voûtes de feuillage, même en plein jour, répondrait-il avant ce soir aux pertinentes questions que lui posait Augustino, ou poursuivrait-il ses moroses médi-tations jusqu'au champ de tournesols d'où montaient les rires de Garçon Fleur et les senteurs capiteuses des roses jaunes épineuses, tous ces sucs, tous ces parfums dont regorgeait la terre en cette saison, quelle indolence, quelle paresse, pensait-il, tout en marchant sur le chemin des coquelicots, la forêt, les bois bourdonnaient, chantaient, sous le balcon de l'atelier des peintres, Mark et Carmen débrouillaient leurs artistiques vidanges et dépouilles dans leurs vêtements régénérés du sommeil des dépotoirs, Daniel ne serait-il pas à court d'éloges lorsque Mark expo-serait le lendemain des toiles où ne figureraient que des animaux empaillés, jusqu'aux poissons, aux crustacés, dont la mue, dans des bocaux, serait sans vie, comme le peintre Hirst exposant dans des serres ses grises têtes de veaux fragmentées, d'un martyre si palpable que le specta-teur ne pouvait que s'en détourner, Mark et Carmen sem-blaient dire en montrant leurs œuvres, tels des embryons de la mort, regardez et vous comprendrez dans quel uni-vers nous vivons tous, Mark et Carmen iraient plus loin, disaient-ils, que leur maître anglais Damien Hirst, Daniel était bien naïf de croire que ces tableaux n'étaient pas vivants, ces têtes animales se décomposaient vraiment dans le formaldéhyde derrière une vitrine, on les évaluait à cinq cent mille dollars pièce à New York comme à Londres, toute la vie tenait à cette décomposition organique, disait Mark, il avait pourtant l'air d'un garçon rationnel quand on l'écoutait, pensait Daniel, se levant à l'aube pour enregistrer le chant des oiseaux, Mark ne connaissait-il pas tout d'eux, de leur incubation jusqu'à leur croissance, c'est d'abord par l'œil de l'oiseau, le regard que commence la vie, instruisait-il Daniel, ses jumelles à la main, Daniel avait-il entendu le gobe-mouche à collier, visiteur rare en été dans ces régions, la mésange à moustaches nichant dans le Midi, pour ses étangs, l'hirondelle rousseline au croupion roussâtre, de passage dans le bassin méditerranéen, Daniel était-il de ces hommes insensibles et sourds qui ne peuvent distinguer les oiseaux d'Europe des oiseaux d'Amérique du Nord, il est vrai que tant d'espèces n'existaient déjà plus, la chouette épervière, dont la dernière avait été capturée en Belgique en 1943, la grive à gorge noire, que l'on n'avait pas revue depuis 1936, Daniel écoutait les doléances de Mark, était-ce bien le rossignol philomèle dont le chant l'avait réveillé pendant la nuit, demandait Daniel à Mark, oui, lorsque se taisaient les fauvettes, il chante, répondait Mark, et c'est un concert de mélodies pleines d'inventions, Daniel se reprochait d'avoir été très irrité de ce que ces brillants crescendos l'eussent réveillé pendant la nuit, sachant aussi qu'auprès de Mark il n'aurait jamais raison, et Giotto, que penses-tu de Giotto, Mark, le XXᵉ siècle l'a tout de même retenu, tu sais pour-

quoi, Mark, parce que dans ses portraits, Giotto a huma-
nisé le visage de Dieu, c'est du moins ce qu'énoncent les
critiques d'art compétents, bah, le XIVe siècle déborde d'artistes comme Giotto, disait Mark, toutes les églises médié-
vales, il haussait les épaules, tant de madones, d'enfants, le
blasaient, Giotto, ce fils de paysans pauvres n'est-il pas le
père d'un art nouveau, n'a-t-il pas rompu toutes les
conventions en n'exprimant que la vérité du visage
humain, ce discours de Daniel engourdissait Mark d'ennui, il regardait Daniel, les pieds plantés dans ses bottes
d'alpiniste, Giotto eût mieux fait de peindre des paysages
que de nous imposer ses croyances en une divinité qui
n'existe pas, répliquait-il, furieux, car il n'y a que ce qui naît
et meurt, c'est l'accident de la vie, et ce qui suit, la pourri-
ture, qui est notre sort à tous, et c'est ce que notre maître le
peintre Damien Hirst veut dire, que pendant que l'on vit,
on ne peut concevoir l'idée de mourir, il faut désormais
que l'art soit démentiel, imiter le peintre Marc Quinn, qui
se peint lui-même avec son sang, des pintes de sang frigo-
rifié, comprenne qui veut comprendre, Giotto, ah! adieu,
Giotto, ces mots ne roulaient-ils pas comme des pierres
des lèvres de Mark, pendant que Carmen le hélait en
criant, viens, Mark, qu'ai-je trouvé là, sous ma pelle, la robe
d'une femme qui fut peut-être assassinée ici, ses souliers,
ses bas, son soutien-gorge sont presque intacts, encore une
fois Daniel n'avait pu convaincre Mark qu'un visage peint
par Giotto n'était séparé de nous par aucun voile, Mark eût
sans doute dit que ce beau regard bleu du modèle de
Giotto, indirectement posé sur nous, n'était là que pour
nous leurrer sur ses intentions divines, car pour Mark les
mystères de la foi et toute inspiration d'ordre surnaturel

reliés aux peintres de la Renaissance ne contenaient rien de louable ni de véridique, et pourtant n'était-ce pas miraculeux, surnaturel, qu'en remontant ce chemin des coquelicots aux pétales écarlates, où Daniel avait été si maussade le matin, il eût soudain la vision de trois paons se dressant, splendides, étalant la roue de leur plumage sur le toit de tuiles roses de la cuisine que Daniel partageait avec Rodrigo ? *Amigo,* viens voir qui est là avec nous, s'écriait Rodrigo, d'où viennent-ils, de la ferme de Carmello et Grazie ou du ciel ? Trois divinités, pensait Daniel, qui sait, une visitation de Giotto, doucement les trois paons posaient leurs pattes sur les tuiles roses du toit, offerts à la contemplation de Rodrigo et de Daniel comme s'ils n'eussent été que des papillons paradant sur l'herbe dans les mêmes couleurs tachetées de roux, de vert, un miracle, constata Daniel, vois-tu, *amigo,* eux s'adaptent bien à la captivité des jardins du monastère, et les voici qui peu à peu s'adaptent à nous, juste à l'instant où tu songes à partir, mon ami, visitation du ciel ou miracle, les trois paons et leur magnifique plumage, la poésie de cette manifestation subite avait apaisé quelques-unes des craintes de Daniel lorsqu'il vivait loin de ses amis, que penser toutefois du silence de Jean-Mathieu qui ne lui avait pas écrit depuis plusieurs semaines, de Charles, lui aussi silencieux en Inde, visitation du ciel ou miracle, Daniel écoutait venir vers lui les voix, les pensées de chacun de ses enfants au-delà des mers, de l'opacité des bois et des forêts où se mettaient à l'abri des chasseurs les sangliers, bientôt, dans quelques heures, Daniel serait bouleversé par la lumière sur les collines mauves, vite blotti dans son lit aux draps glacés sous le plafond de bois de sa chambre d'où la vive chaleur du jour aurait fui, il entendrait les premières notes nocturnes du rossignol, ses modulations de joie, sans fin. Oui, qu'eût fait Marie-Sylvie auprès de Jenny, médecin sans frontières, en Corée du Nord, demain en Colombie, Marie-Sylvie n'avait-elle pas toujours été seule pour affronter son destin, le destin de son frère Celui qui ne dort jamais, et sous ce ciel chaud de l'été, la mer était calme, comment pouvaient-ils tous s'imaginer que Marie-Sylvie fût incapable de piloter le bateau de Samuel, cette embarcation longtemps amarrée à la marina, sans personne à son bord, c'était là-bas, sur la ligne de l'horizon, expliquait Marie-Sylvie à Vincent assis près d'elle dans le bateau que berçaient les vagues, le point de départ des équipages transatlantiques, le jour de la course des grands voiliers blancs, tant d'équipages au soleil couchant parcourant les mers si éloignées, Vincent battait des mains de contentement, il voyageait sur la mer, il naviguait, comme Marie-Sylvie était indulgente, aimable, lui accordant toutes les permissions que lui refusait sa grand-mère, des congés de l'école, des promenades sur l'eau, parfois Marie-Sylvie oubliait même de lui faire prendre ces médicaments au goût insipide, dommage que sa grand-mère l'obligeât à suivre des cours de musique avec Julia Benedicto, *Lumière du Sud,* pensait Marie-Sylvie, que cette appellation, choisie par Samuel, s'appropriant un bateau dès son douzième anniversaire, était insolente, insolente aussi cette fille Julia Benedicto, pensait Marie-Sylvie, cette réfugiée introduisant dans l'île ses leçons de piano, de violon, ses concerts gratuits du dimanche en mer, que soit recouverte de gouttelettes d'eau, de brume, de bruine l'insolente Julia Benedicto dirigeant ces concerts, pensait Marie-Sylvie, dans le brouillard qui pourrait entendre Julia Benedicto et ses virtuoses en train de jouer un quatuor à cordes de Schumann, de Brahms, quand on repoussait ceux-là tous venus de la Cité du Soleil dérivant sur des radeaux, pneus crevés, *Lumière du Sud,* que le bateau de Samuel l'emportât au loin, pensait Vincent, sous le vaste ciel, l'air contenu dans ses poumons ne lui ferait aucun mal, là-bas, disait Marie-Sylvie, sa respiration serait dilatée, sa toux ne serait plus isolée, sèche, il n'aurait plus à souffrir des accès de suffocation, seul dans son lit, la nuit, guéri de ces cruelles affections caractérisées par tant d'accès de dyspnée qui le laissaient pantelant, il grandirait comme Samuel, Augustino, déjà Vincent n'était-il pas plus sportif que ses deux frères, qu'Augustino se cramponnant à ses ordinateurs, bien qu'il fût, lui aussi, inaccessible comme l'était Samuel qui s'adressait à peine à leurs cadets, Vincent, Mai, oui, Vincent serait un joueur de baseball, de football, et ses frères le respecteraient, il possédait le casque du frappeur, le bâton et le gant dans lequel se perdait la paume de sa main, il serait arbitre en chef au football, ou quart arrière, pourvu qu'il fût de la mêlée, ou bien ailier rapproché, il serait toujours à l'attaque, Vincent somnolait pendant que Marie-Sylvie, tenant le gouvernail, lui semblait si adroite, nous avons bien le droit de sortir ensemble, tous les deux, disait Marie-Sylvie à Vincent dans le bruit des vagues, pourquoi raconter notre promenade en mer à ta maman, Vincent, n'en parle pas, ce sera notre secret, et Mai sera bien jalouse, mais elle est vraiment trop petite pour que nous l'emmenions avec nous, j'ai aussi les chaussures d'entraînement pour le terrain, pensait Vincent dans sa somnolence, je serai plaqueur, ce sera notre secret et notre voyage, dit Marie-

Sylvie, et personne jamais ne le saura, non, personne, dit Vincent, qui s'étonnait de respirer si bien dans l'air tiède qui ne l'oppressait plus. Et celle qui veillait au confort des passagers demandait à Edouardo qui voyageait avec ce pauvre Monsieur, dit-elle, s'il souhaitait porter sa valise dans la cabine ou la confier à l'hôtesse, c'était une petite valise, pensait Edouardo, ce qui n'était pas dans les habitudes de Jean-Mathieu toujours chargé de multiples valises pesantes de ses collections de livres d'art, soudain il n'y avait plus dans cette légère valise qu'Edouardo garderait près de lui pendant la traversée que quelques chemises, une écharpe bleue, un chapeau démodé pour les jours de soleil et de pluie, Jean-Mathieu n'avait-il pas dit à ses amis qu'il voyagerait cette fois légèrement et sans obstacles, il y avait aussi dans cette valise, un journal quelques notes sur les maîtres italiens transcrites d'une écriture calligraphiée avec soin, comme si Jean-Mathieu eût devant lui beaucoup de temps, n'eût-on pas dit, pensait Edouardo, que la réflexion de Jean-Mathieu sur Piero della Francesca ne fît que commencer à Venise, au milieu de la lagune, dans *La Légende de la Vraie Croix,* avait noté Jean-Mathieu, Piero della Francesca décrit l'une des plus insolites scènes de la Croix de la Renaissance, de cette œuvre qui fut tant de fois dégradée par le temps, puis rénovée, ressuscitée dans sa splendeur originelle, n'était-ce pas déroutant que dans cette fresque où se déroulent tant de combats sanglants, que de ces plaines orange où chante le coq, que parmi ces hommes à la tête tranchée dormant sur ces plaines, oui, que l'on vît soudain de dos, assis dans son lit, ou n'est-ce pas plutôt dans un grabat, le futur crucifié surpris par des soldats, avec la croix que l'on redresse devant lui, quand cet homme semble dire avec toute la force, l'exubérance de sa jeunesse, non, je ne veux pas, ce n'est pas pour moi cette croix, que faites-vous ici, soldats, quand je m'apprête à me lever dans le jour éclatant, cette croix, non, qu'on l'éloigne de moi, mais j'entends chanter le coq, l'heure est-elle venue pour moi de marcher vers cette croix? Telle fut peut-être la pensée du peintre toscan, avait écrit Jean-Mathieu, nul ne devait mourir si jeune ce jour-là, qu'on ne vînt pas attacher à la croix cet enfant; l'œuvre, interrompue en 1458, ne fut terminée qu'en 1466, tant la réticence du peintre était réelle devant l'horreur de la croix, et ressentie avec violence, ces notes sur Piero della Francesca n'étaient suivies d'aucune autre, ce jeune homme surpris dans son grabat par les armées du deuil, cette œuvre du peintre avait peut-être éprouvé l'âme de Jean-Mathieu qui, dans sa chambre, sur l'eau, au crépuscule, n'avait plus écrit, sinon le début d'une lettre à Caroline dont les mots avaient été lancés hâtivement, tels des griffonnages d'écolier, ma chère Caroline, je vous écris avant de sortir, sur le feuillet d'un cahier, lettre qui allait se dissoudre dans les vapeurs d'eau de la chambre, avait pensé Edouardo, car avant de partir, Jean-Mathieu n'avait refermé ni les fenêtres ni leurs battants qui bâillaient sur la mer dans le vent pluvieux; allons, mon compagnon, allons revoir l'île et tous nos amis, avait dit Edouardo, en sortant de la pension vénitienne de Jean-Mathieu, la légère valise à la main, quelques livres, des carnets, une écharpe, un chapeau démodé, avait pensé Edouardo affligé de ramener vers les rives familières de son pays celui qui n'était plus qu'un fantôme. Il descend l'escalier, il s'enfuit, non, le voici qui court sous la fenêtre de la chambre du capitaine, il m'appelle d'en bas, sur le patio, et sur le patio, sous la fenêtre de la chambre, Rick s'étirait nonchalemment en riant, ses yeux d'un bleu d'acier clignant au soleil, tu ne peux nier, disait-il à Vénus, que ton mari se passionnait pour le commerce de la drogue, c'était plutôt un artiste habile, mais qui sait s'il n'était pas avant tout un gangster comme moi, puisque je fus son associé le plus proche, n'est-ce pas lui qui m'a initié? Soudain nous n'avons été que des importateurs de marijuana et de cocaïne, que penses-tu de cette histoire, Vénus? Très jeune, je n'avais commis, moi, que de petits vols par effraction qui ne m'ont valu que quelques semaines de prison, et que faire à ma sortie de prison, j'étais sans emploi, que serais-je devenu sans ton mari? Ici, dans cette maison, avant que Williams ne perde la tête pour toi, nous avions notre quartier général, et tu aurais dû voir qui nous fréquentions, tes notables, Vénus, ceux qui allaient te courtiser au Club mixte où tu chantais et dansais, toutes les nuits, te souviens-tu, Vénus? Ceux qui te payaient la nuit, le jour, des acheteurs, des investisseurs, des avocats, c'était notre clientèle, et ton mari n'était jamais servile avec eux, car nous étions les rois, le haschisch débarquait tous les jours dans les mangroves, le patron mettait toujours une voiture à ma disposition, c'étaient les belles années, pour la cocaïne nous avions partout des relations en Amérique du Sud, ton mari avait bien quelques ennemis même si son charme consistait à ne faire peur à personne, c'était un artiste, même dans les affaires, il continuait de peindre ses tableaux érotiques, d'aimer la musique et les femmes, oh! les femmes, bien sûr, nous allions susciter quelques convoitises, les groupes de motards ne nous aimaient pas tous, si jeune, je me promenais avec mon attaché-case plein de billets, Williams avait acheté son yacht qui repose maintenant sans lui à la marina, ne crains rien, Vénus, je n'ai jamais été un tueur, seulement le régisseur du domaine de ton mari, son associé le plus fidèle, je n'ai même jamais eu sur moi un fusil ni un revolver, le capitaine savait pourtant bien naviguer, il y a des règlements de comptes en mer que tu ignores, des marchés conclus, certains trafiquants sont retrouvés sur nos berges, une balle leur trouant la nuque, c'est un monde où chacun peut être vite éliminé, même l'invincible Williams, Vénus n'écoutait plus Richard qui la narguait sur le patio, l'oreille contre le téléphone mobile, objet minuscule véhiculant soudain pour elle les mots de la terreur, elle entendait sa mère, la voix de sa mère, ses sanglots lui apprenant, mais était-ce vrai, Mama disait dans ses pleurs qu'on avait vu la photographie de Carlos à la télévision, c'était la photographie prise lors du combat de boxe avec Lazaro, au Collège de la Trinité, le visage de Carlos avait été détaché du visage de Lazaro, on recherchait Carlos accusé de tentative de meurtre à l'endroit de son ami, Carlos était en fuite, qui l'avait vu, reconnu, devait le dénoncer, mon fils Carlos, gémissait Mama, et quand cela s'était-il donc produit, demandait Vénus à sa mère, il y a quelques instants, ton père, qui est au temple, ne le sait pas encore, le monde entier le saura, Carlos, mon fils, accusé de tentative de meurtre, mais écoute-moi bien, Vénus, ton frère n'est pas un assassin, c'est mon fils, je le connais, défends ton frère, Vénus, s'il allait chercher refuge chez toi, sur la terre du péché, car ton mari était un malfaiteur, Vénus, ce manoir où tu vis a été acheté par le vice, la malhonnêteté, mais si ton frère apparaissait chez toi ce soir,

demain, il faudrait le protéger, le défendre, car ton frère, je
te le dis, moi, sa mère, ton frère n'est pas un assassin, sauve
ton frère, Vénus, n'écoute que la voix de Dieu, elle te gui-
dera, c'est à cet instant, en écoutant les pleurs de Mama,
que Vénus se souvint de Perdue Baltimore, qui avait
obtenu son diplôme de droit criminel, Perdue qui avait
jadis chanté au Club mixte, interrompant brusquement les
activités d'une vie clandestine, Perdue avait étudié en cri-
minologie, travaillant au Bureau de la correction et de la
probation, dans le but de payer ses études et d'acquérir
de l'expérience auprès des jeunes délinquants de l'île, Perdue Baltimore défendrait son frère Carlos, pensait Vénus,
c'était une diplômée de l'université, un esprit déterminé,
ne disait-on pas dans le journal de l'île qu'elle était sur le
point d'entreprendre d'autres études de sciences et technologie, Perdue Baltimore, comment Vénus eût-elle pu
l'oublier, Perdue qui était la fierté de sa race, vêtue de
sa toge noire, son diplôme à la main, lorsqu'elle avait quitté
le Club mixte, n'avait-elle pas dit à Vénus, viens avec
moi, il n'y a rien pour toi, Vénus, dans cet antre où tu
chantes pour les hommes toute la nuit, tu vaux plus que
cela, Vénus, née dans les Bahamas, fille de Georges et Rita
Baltimore, Perdue connaissait le succès, celle qui avait dit
à Vénus qu'elle était son amie, sa sœur, Vénus la consulte-
rait et son frère Carlos ne subirait pas l'humiliation, la
honte; le teckel du capitaine au pied du lit, l'iguane dont
Vénus frictionnait de ses doigts la crête dorsale au dessin
d'écailles jaunes, que ces bêtes que Vénus aimait, que tout
ce qu'elle tentait de protéger n'eût pas à affronter la rage du
prédateur, pensait Vénus, c'est Jésus qu'il faut prier dans le
malheur, disait Mama à Vénus, n'en dis rien encore à ton

père qui est au temple, et Vénus dit à sa mère, nous aurons de l'aide, Mama, je te le dis, car je suis l'amie de Perdue Baltimore, nous aurons de l'aide, Mama, et que disait le pasteur Jérémy, dans ses sermons au temple, n'affirmait-il pas que nous n'étions jamais seuls, ni dans le bien, ni dans le mal, ni dans la joie, ni dans la peine, nous n'étions jamais seuls, se répétait Vénus, s'approchant de la fenêtre, Vénus vit Richard qui allumait les longs bâtons de bambou pour le soir, faisant chauffer l'huile contre les moustiques, il était décontracté, rieur, la ceinture de ses jeans relâchée sur les hanches, les futurs pêcheurs de la nuit, pensait Vénus, buvaient à cette heure, dans les tavernes, au bord de l'eau, ils ne reprendraient tous la mer qu'avant la nuit, leurs barques aux signaux éteints les attendaient au port, et Rick, le prédateur, n'était-il pas dans le jardin, autour de la maison, il semblait guetter la mer qui s'étendait tout autour, dans un vacarme de chants d'oiseaux, les pélicans volant bas et sans repos, quand les fleurs du jasmin embaumeraient bientôt la nuit, non, que nul prédateur ne vînt enlever Carlos à Vénus, qu'il ne fût pas trop tard lorsque Vénus dirait à Perdue Baltimore, Carlos, qui est mon frère, Carlos, mon frère, est en péril. Et Renata se demandait lequel, parmi ces juges, magistrats, criminalistes, assemblés depuis quelques jours dans un hôtel de New York, pour une conférence sur la peine de mort, lequel parmi eux infligerait à Nathanaël, lorsqu'il aurait quinze, seize ans, l'infâmante peine, serait-ce ce juge qui avouait avoir transféré Jonathan, treize ans, du Centre de détention juvénile à une prison pour adultes, ajoutant avec regret que l'accusé était trop jeune pour la peine capitale, mais emprisonné à vie, Jonathan aurait le temps de réfléchir à l'atrocité de ses actes, et quels étaient ces actes dont il fallait rappeler aux juges et aux magistrats l'indicible cruauté ; accusé de meurtre au premier degré, Jonathan avait battu et poignardé une fillette, c'était une enfant, sa voisine, avec qui il avait souvent joué dans la rue, le meurtre était prémédité, un couteau, un bâton de base-ball avaient servi d'outillage pour le crime, où était Melissa, huit ans, disparue depuis trois jours dans le bois situé près de la demeure de Jonathan, parmi des centaines de volontaires on vit Jonathan participer aux recherches, où était donc Melissa ? Dans ce lit d'eau où dormait avec elle son meurtrier, on découvrit le corps de Melissa à l'intérieur du matelas ondoyant, le corps de Melissa avait été enduit comme la chambre de désodorisant et d'encens ; est-ce bien un enfant qui agit ainsi, demandait le juge, n'est-ce pas plutôt un monstre ? Un monstre sans repentir et qui mérite une sanction sans pitié, aurait-il deux ans de plus, j'aurais aimé requérir pour lui la peine de mort, seule une sanction exemplaire peut atténuer la vague de ces crimes sordides dans notre pays, il y eut bien un jour où ces adolescents furent innocents, je suis prêt à le croire, avant qu'ils ne découvrent dans le monde un lieu pervers, dépravé, avant de perdre toute moralité et tout respect pour la vie humaine, mais quand était-ce ? Quand ils écrivaient une lettre d'adieu à leurs parents en disant qu'ils allaient bombarder leur école et tuer tous leurs camarades ? Était-ce quand ils étaient de populaires athlètes dans leur classe, mais qu'en secret ils volaient leur mère, torturaient des animaux ? Aux portes des maisons cossues de leurs parents s'affichait pourtant la prospérité, clôturées ces maisons, ces cours fleuries où il est écrit l'Enclave, l'Oasis, ici, près de ces terrains de golf, de ces lacs et de ces étangs vivent les enfants les plus brillants d'Amérique du Nord, c'est le jour du blé, de la marijuana, car aujourd'hui les jeunes criminels sortiront, ils vont bien s'amuser, car c'est le jour anniversaire d'Adolf Hitler à l'école, écrit le jeune criminel dans son journal, c'est un jour rock-and-roll, le jour du quatre cent vingt, car le criminel a inventé ce code pour la marijuana, laquelle contient quatre cent vingt substances chimiques, Adolf Hitler va ressusciter aujourd'hui à l'école de la Prairie, nous embrassons totalement l'idéologie nazie, ce jour d'avril laissera à tous son souvenir de sang, je dis bien à tous, à ceux qui chantent dans le chœur comme à ceux qui suivent le cours de Bible, tous se souviendront, quant au livre de l'année scolaire, vous verrez comment il sera signé cette année, qui a dit de nous que nous étions la génération qui n'allait jamais connaître le sacrifice et la douleur? Qui a dit cela de nous verra combien il a menti! Innocents, dit le juge, ils aimaient les dessins animés, surtout *Pinky, Le Cerveau* et *Les Animaniaques,* ils avaient peur, dans leurs maisons édifiées sur des rocs, lorsqu'ils entendaient la nuit les hurlements des coyotes, souvent, leurs massacres étaient annoncés des mois à l'avance par des graffitis sur les murs de l'école, nous vous tuerons tous, vous devez tous mourir, avaient-ils écrit, en ce jour d'avril, ils allaient enfin se vêtir de leur short d'été, leur chair nue serait exposée à la lumière, à ces hésitants rayons du soleil d'avril, en ce jour anniversaire de Hitler, on vous offrait des biscuits à la cafétéria à onze heures trente le matin, on ne s'attend pas à mourir lorsqu'on est en file pour le déjeuner, qui donc a vu le premier ces deux silhouettes noires dans leurs manteaux de pluie, sur le toit de l'école ? Qui a vu éclater leurs ballons remplis de crème à raser ? Ce ne serait peut-être que cela, l'initiation, un grand jeu burlesque de fin d'année ? Le jour des biscuits gratuits à la cafétéria, de la fausse bombe, le jour des ballons, quand s'écrouleraient tous les murs de l'école ? Oui, c'est le jour des biscuits gratuits et des planchers qui s'ouvrent, c'est le jour où le concierge dit, cachez-vous sous la table, les pupitres, il y a danger, que se passe-t-il donc, c'est le jour où explosent les casiers de métal, où l'on court dans les escaliers, où la bibliothèque est enfumée, c'est le jour de la jungle, du complot, où la cafétéria, la bibliothèque sous l'explosion des bombes sont les tombeaux des élèves, nul n'ose se tourner vers les colonnes de feu, aux barricades, les étudiants de la génération de la soie qui n'allait jamais connaître le sacrifice, la douleur, aux barricades, c'est le jour anniversaire de Hitler ; leurs téléphones cellulaires ne les sauvèrent pas lorsqu'ils appelèrent, des salles de cours, des toilettes où ils s'étaient enfermés, leurs parents, les policiers de leur quartier, Dieu, qu'ils invoquèrent, il était écrit qu'ils ne seraient pas sauvés, cette nuit est une excellente nuit pour mourir, aux barricades, les étudiants, c'est l'heure de prier, mes petits amis, en ce jour d'avril, demandez à Dieu qu'Il vous ceigne d'une armure d'acier, car un à un vous allez tous tomber, pourquoi vous laisser vivre ? Dites-nous pourquoi ? Cessez de pleurer, vous, les blessés, ce sera bientôt fini, vous serez tous morts. Ils prirent une étudiante par le cou et la fusillèrent, adieu, Peekaboo, disaient-ils, adieu, Peekaboo, il y a un nègre isolé dans cette classe, il faut l'abattre, ainsi s'en alla la vie d'Isaïe, celui qu'ils avaient voulu viser le premier parce qu'il était noir, la bombe Pipe est très facile à fabriquer, s'écrivaient-ils dans leurs *e-mails,* elle peut anéantir tout un groupe de personnes en quelques instants, les recettes s'avéraient simples pour la tuerie, des tournevis, des clous, voici l'attaque de Hitler, pour son cent dixième anniversaire, quant à nous, jeunes criminels, nous saurons nous envoler en flammes, comme au-dessus d'un baril de poudre, quelques jours plus tard sur la neige, des bouquets de fleurs, dans un sac, un paquet sinistre contenant du gaz propane, des clous de toutes sortes, et ils avaient grandi dans la prairie des Cerfs, l'Oasis des fleurs ; si jeunes, ces criminels ne doivent-ils pas être jugés tels des adultes et subir le pire des châtiments ? Serait-ce lui, ce juge impeccable dans sa description de la vérité, le futur justicier de Nathanaël, aujourd'hui accusé de meurtre à onze ans, ce garçon hagard, menottes aux poignets entre ses deux gardiens de race blanche dans une prison du Michigan ? Oui, elle seule, Renata, pouvait concevoir que cela fût vrai aussi, demain, dans quelques années à peine, sans tarder la décision serait prise, l'âge de la peine capitale serait réduit à la seizième, à la quinzième année pour l'accusé Nathanaël. Et Caroline dit à son coiffeur qu'elle désirait une coiffure plus juvénile, n'avait-elle pas un rendez-vous le lendemain, cette coiffure bouffante, cela la vieillissait, dit-elle, Caroline n'aimait ni les torsades ni les chignons d'une raide austérité, moins encore les permanentes, ce que je veux, dit-elle, c'est une frange, ne pouvait-on pas tout dire à son coiffeur, ce n'était pas comme Charly qui se renfrognait dans un silence buté, son sourire narquois offensant, le coiffeur de Caroline était un homme patient, il disait parfois à Caroline qu'elle était belle, une allure plus sportive et moins rangée, dit-il, voilà ce qui vous irait le mieux, demain je reverrai quelqu'un que j'aime beaucoup, dit Caroline, auprès de cet homme patient dont les doigts effleuraient sa nuque dans une bénigne sensualité, il était tout naturel de se confier, pensait Caroline, le sentiment de crainte de ces derniers jours ne s'effaçait-il pas un peu, et ces cauchemars de la nuit qui vous collaient toujours à la peau, si odieuses parfois ces images de nos rêves, pensait Caroline, elle se souvint de ce rêve où elle avait aperçu, nageant vers elle, un poisson des mers chaudes aux nageoires sanglantes, se réveillant subitement, elle avait pensé que ce rêve l'avait souvent alertée, la veille de l'assassinat d'un président, d'un sénateur, en peu de temps le trouble pressentiment serait associé à un événement maléfique, Caroline s'abîmerait dans un sentiment de dévastation, où un crime, un assas-sinat seraient sans rachat, où parmi des milliers de gens, elle serait en deuil, ce que son coiffeur comprenait aussi, lorsqu'elle lui disait, n'est-ce pas affligeant, mon ami, tout ce que nous avons perdu, vous et moi, en moins de cent ans? Ne dirait-il pas en haussant les épaules, Madame, c'est bien malheureux, cela m'attriste autant que vous, car ce que nous avons perdu, Madame, c'est l'élite de notre société, Caroline, dont le coiffeur observerait l'expression du visage se durcissant, se vexerait de ce qu'un homme de condition modeste parlât d'une élite qui ne pouvait être que la sienne, car ils étaient de sa famille, pensait-elle, ces proches touchés par un charisme auguste, quel choc, quelle injustice qu'ils fussent dans le faste de leur puis-sance, plus insidieusement mortels que les autres, que dans la gloire de leurs fonctions, ils fussent tués dans leur limousine, foudroyés pendant un discours, que leur des-cendance, par duos, trios distingués, s'effritât en mer, dans des avions privés, lorsqu'ils se rendaient à une célébration de mariage, à un festin, à des réjouissances, leurs valises craquant sous le poids de leurs robes, tenues de soirée achetées chez de grands couturiers new-yorkais, à la dérive dans le flux des eaux, tels des réfugiés, ces beaux jeunes gens aux yeux francs, on ne verrait plus scintiller les perles de leurs dents dans des sourires d'une persuasive arrogance peu dissimulée, car n'avaient-ils pas tous les droits, dans leur noblesse, pensait Caroline, était-ce juste, oui, que cette lignée princière ou diplomatique fût confondue en quelques heures, quelques jours, avec les plus destitués de ce monde, dans l'anonymat du désastre, le courant abrasif des eaux noires de l'océan étouffant leurs voix argentines, ces voix de si jeunes femmes, combien Caroline abhorrait le malheur, ce malheur, en particulier, qui rendait les uns et les autres, fussent-ils des princes, des rois, soudain déracinés des privilèges de leur royaume et de leur rang, aussi indistincts, disait Caroline à son coiffeur, cet homme patient, oui, que nos pauvres errants en mer sur des radeaux, car c'était là la scandaleuse nature du malheur, ne nous condamnait-il pas tous à être semblables ? Le coiffeur distrait ne répondant pas, ses ciseaux suspendus dans l'air, Caroline s'écriait, avec quel art vous arrangez les cheveux, que ferais-je sans vous, il lui semblait entendre la cassure de sa propre voix, pendant qu'elle parlait au coiffeur, il y avait un élancement de peine, d'insatisfaction dans cette voix cassée, pensait-elle, ne disait-elle pas au coiffeur de cette voix, ne m'aimez-vous pas, ne m'approuvez-vous pas, un jour cette voix, nul ne l'entendrait plus, pensait-elle, pas plus que ces voix argentines des jeunes femmes de lignée princière, tues dans le brouillard des mers, des océans, oui, Caroline disait, aimez-moi, sauvez-moi de moi-même, et nul ne l'entendait. Dans la chambre de leur hôtel, Claude dit à Renata qu'elle eût dû conserver l'objectivité humaniste du juge qu'elle était, car on ne pouvait s'apitoyer sur le sort de Nathanaël ou de Jonathan, si les sentiments tendres de Renata étaient louables, ces jeunes gens n'en étaient pas moins des criminels qu'il faudrait juger comme les autres, on ne pouvait que modérer la sanction, l'amplitude du châtiment qui leur serait bientôt réservé, Renata écoutait son mari en pensant qu'elle lui en voulait de ce ton détaché, quand elle eût tant besoin qu'il fût plus nuancé et attendri de pitié pour chacune des mères de ces enfants criminels, toutes deux, des mères ouvrières, déjà il s'habillait pour aller jouer au tennis avant le dîner, pourquoi ne pensait-elle pas à se divertir avec lui, dit Claude, la conférence ne se poursuivrait que le lendemain, à midi, il fallait se détendre un peu, dit-il, avant d'aller dîner chez des amis le soir, en quittant silencieusement la chambre, Claude avait remarqué l'attitude concentrée de Renata, révisant des dossiers, la tête entre les mains, ce n'était pas bien, pensa-t-il, qu'elle fût si atteinte par ces enfants, il entendait encore les paroles de Renata dans l'ascenseur de l'hôtel, non, il ne pourrait jamais la consoler du sort réservé à ces enfants, pensa-t-il, pressé de respirer l'air de la rue et d'être délivré par le sport du poids de tant d'inquiétudes ; il y a aussi les mères de ces enfants, avait dit Renata, ce sont souvent des femmes innocentes, la profondeur de chaque être vivant, n'est-ce pas son innocence ? Même chez les femmes condamnées pour leurs crimes persiste ce goût de l'innocence ; dommage que Renata ne l'accompagnât pas dans l'air frais du soir, pensait Claude, ne fallait-il pas parvenir à ce que les drames des autres ne nous engloutissent pas, l'innocence dont parlait Renata n'était-elle pas aussi l'innocence de vivre en cédant aux élans joyeux de l'instant, sans toujours penser au lendemain ? Pouvait-on éprouver de la joie, dans la vie, pensait Renata, quand on savait comme elle, qui était souvent juge des actes d'autrui, qu'une femme appelée la Veuve Araignée avait été menée hier à la chaise électrique, après quatorze ans d'attente, toutes elles étaient dans l'attente de leur peine, dans les cellules des condamnées à mort, toutes elles étaient des femmes possédant quelque trésor d'innocence qui avait été dispersé, déshumanisé, dans une succession d'événements affreux, par quelque irrévocable ascension dans l'erreur, toutes elles ne possédaient que le secret de leur honte, de leur perdition, quand, à six heures du matin, une lumière crue balayait leurs cellules, ainsi débutait le rituel : sur le ciment nu roulait à six heures le chariot des repas, par une mince ouverture, dans sa cellule, chacune tendait la main vers le plateau, le lundi et le mercredi, toutes se lavaient ensemble pendant une dizaine de minutes, une heure par semaine, deux des pensionnaires sortaient dans la cour, ayant le droit de jouer à la balle molle, l'une d'elles disait qu'elle avait assassiné à la perfection son mari dentiste, l'autre, la Veuve Araignée, ne disait rien, car elle protesterait longtemps de son innocence, un mari tué, un compagnon, un fils infirme, de quoi ne l'avait-on pas accusée bien que jusqu'à la fin elle niât tout, cinq mille jours elle avait attendu, dans sa cellule, et soudain, un matin, peu de temps après le passage du chariot sur le ciment, on lui avait dit qu'on viendrait la chercher, car là-bas, ce serait loin, au bout de la péninsule de la Floride, il faudrait se séparer, après ces cinq mille jours, de la sécurité, du refuge de la prison à sécurité maximale pour les femmes, de sa routine, rarement entrecoupée par la visite de l'avocat, de la famille, mais depuis longtemps la Veuve Araignée n'avait plus de famille, elles n'étaient que cinq, dans les cellules des condamnées à mort, ne savaient-elles pas tout les unes des autres, nous aussi aimons bavarder entre nous, disaient-elles, nous aussi regardons la télévision, laquelle est toujours en noir et blanc et fixée au mur, nous en tournons les boutons en montant sur le siège des toilettes; nous aussi, bien qu'internées, humiliées, fouillées tous les jours, nous sommes encore des femmes, regardez les murs de brique qui nous enserrent ici, une touche féminine se répand partout, dans cette couleur rose pêche des murs, ou n'est-ce pas plutôt la couleur du sorbet orange, si quelqu'un nous écoute, nous bouchons les trous des murs à l'aide de nos serviettes hygiéniques, quant à nos uniformes, comment les modifier? Nous avons peu de choix, c'est la robe sac de pommes de terre ou la chemise bleue et le pantalon sans forme, car on veut nous enlaidir jusqu'à la fin. Certaines achetaient à la cantine de la prison du rouge à lèvres et du fard à paupières, chacune rêvait d'un bain moussant comme de pardon, chacune espérait qu'il n'y eût pas d'exécution, celle de la Veuve Araignée aurait lieu, mais ce serait la première en cent cinquante ans, cette Araignée, n'avait-elle pas tué les siens avec de l'arsenic, elle était taciturne, mais c'était un démon, la Veuve Araignée ferait un dernier voyage en avion, un jeudi, de nuit, polie, elle remercierait le pilote, l'officier qui lui éviteraient les huit heures en camion, son costume, pour l'exécution, serait le même que celui que portaient les hommes, un raide chemisier boutonné à l'avant, un pantalon foncé, pas de chaussures ni de bas, sa tête serait rasée tôt le matin, ce serait un jour comme les autres, un jour d'exécution, ainsi va la vie, la prison avait enfin décidé que la condamnée aurait droit au fard à paupières, la Veuve Araignée avait peu parlé, peu avoué aussi, mais elle avait tenu à ce qu'on se souvienne d'elle comme d'une bonne mère, ce qu'elle avait été, disait-elle, c'était cela, la mort de la Veuve Araignée, coupable de tous les crimes, c'était une réalité inexorable, cette mort, et qu'on ne pouvait contourner, pensait Renata, mais sous cette mort apparemment juste il y avait aussi un crime qui s'y ajoutait, et sous la charge de tous ces meurtres il y avait une femme dont le nom n'avait pas toujours été celui de la Veuve Araignée, sous ce nom, ce prénom disparus, gisait le trésor d'innocence que nul n'avait connu, et au nom de la veuve exécutée se superposaient les noms de deux jeunes femmes condamnées, elles aussi, pour les meurtres de leurs enfants qu'elles avaient noyés dans une rivière près de la maison, Susan et Teresa, on disait meurtres commis de sang-froid, femmes diaboliques, alors que la profonde innocence, bien qu'elle fût là, peut-être, n'était plus visible tant elle avait été contaminée par les gestes d'une honte depuis longtemps enfouie; et dans ces mêmes cellules des condamnées à mort, longtemps, elles attendraient, Susan et Teresa, ne serait-ce que jusqu'au lendemain, ce serait trop long encore, car tout temps accordé serait suspect, que savait-on de Susan et Teresa? Que toutes les deux à onze ans avaient tenté de se suicider, c'était il y a longtemps, cette onzième année du suicide, avant que Susan et Teresa mettent leurs enfants au lit, le soir, pendant que continuait de germer en elles l'idée de la mort, c'était avant que leurs enfants fussent conçus, et lorsque leurs enfants furent au monde, l'idée de la mort revint, dommageable, pourquoi ne pas s'envelopper tous ensemble dans le même lit, avaient pensé Susan et Teresa, et que veille sur nous à jamais l'ange des suicidés, qu'il vienne, cet ange, et s'enlise avec nous dans la boue des lacs, des rivières d'où personne ne nous verra plus, dans la honte, la peine de tous nos secrets morts avec nous? Car la Veuve Araignée, Susan, Teresa avaient toutes rêvé de mourir avec leurs enfants, bien que dans le crime elles leur eussent toutes trois survécu, l'instinct de vivre s'emparant d'elles au dernier instant, c'était là que résidait peut-être la profondeur de l'innocence déchue de ces femmes, pensait Renata, le suicide réparateur de la onzième année, lorsqu'elles avaient subi ces gestes de la honte, cette honte des secrets tant de fois accumulés et reniés, tous ces dégâts de leur vie ne pouvaient être purifiés que par le sacrifice de leurs enfants qu'elles tueraient de leurs propres mains, c'était là l'innocente croyance de Teresa, de Susan, de la Veuve Araignée, que ces petits, dans la mort, leur avaient montré la voie d'une nette rédemption payée de leur sang; et envoyant la balle par-dessus le filet à un joueur qu'il ne connaissait pas, mais sentant en lui une vitalité impérieuse depuis qu'il n'était revêtu que de son short et de son maillot blancs, chaussé de ses tennis, Claude eût aimé repousser ces pensées qui le hantaient encore, ce Juan Tevez, d'origine hispano-américaine, réfugié depuis deux ans seulement, par quelle bassesse, après avoir violé un jeune garçon de douze ans qu'il avait ramené dans sa voiture à la pointe de son fusil jusqu'à son terrain de camping, s'était-il incriminé davantage en tuant l'enfant, peut-être avait-il perçu dans un moment de frayeur la naïveté de sa fuite lorsqu'il avait vu rôder les voitures des policiers autour de la maison de l'enfant, peut-être avait-il sincèrement eu l'intention de déposer le garçon chez lui après le viol sans pouvoir résister à l'accomplissement du meurtre ? Quel était le fond de cette histoire scabreuse, levant la main droite, Tevez avait juré en cour qu'il avait bien violé, tué Timmy, le jeune homme aux cheveux bruns et à la barbe taillée avait dit d'une voix inaudible, oui, c'est moi, je suis Juan Tevez, j'ai emmené Timmy à la pointe de mon fusil dans le bosquet des avocatiers de mon terrain de camping où je l'ai d'abord violé, pour revenir ensuite, après avoir vu les policiers devant la maison de ses parents, dans ce même bosquet où Timmy a été tué et démembré, je l'ai ensuite enterré sous les arbres, d'une voix atone, il avait décrit la capture et le crime, et ses parents, le pasteur et tous ceux qui avaient aimé le doux Timmy avaient pleuré pendant les funérailles en disant, notre doux Timmy ne reviendra plus à la maison, jamais il ne nous reviendra, enfant violé, tué deux fois sauvagement par le Cubain Juan Tevez, des cahiers, des livres d'écoliers sur un terrain de camping, ne survivraient que ces quelques vestiges de Timmy dans le bosquet des avocatiers, du doux Timmy que tous avaient aimé ; le meurtrier, pensait Claude, était-il parmi ces réfugiés dont on avait voulu couper les doigts dans les canots de sauvetage sur l'océan, parce que son passé criminel avait été reconnu et qu'on se délestait ainsi des criminels, leur coupant les doigts avant de les rejeter dans l'océan ? Était-il parmi ces forcenés qu'une dictature avait semés au vent, parmi les autres, dans des barques de fortune ? Si Tevez était de ceux-là que des femmes, des hommes, encore sains d'esprit pendant leur traversée avaient cru bon jeter à la mer après leur avoir coupé les doigts avec leurs couteaux, qu'étaient pour ce même Tevez un viol, un meurtre, sur la terre d'accueil quand depuis longtemps il avait été maudit par les siens? Ce cas de Tevez, qui serait sans doute condamné à la peine capitale, laisserait longtemps Claude sans repos, sa femme avait peut-être raison, pensait-il, dans cette affaire de l'innocence perdue, bien qu'exprimant généralement des sentiments trop tendres pour l'humanité, elle eût souvent tort aussi, car Tevez, jusqu'au moment où il avait aperçu les policiers devant la maison de Timmy, était enfin un homme libre, pourquoi s'était-il incriminé davantage en tuant ce qu'il avait déjà piétiné, ces meurtres n'étaient-ils pas d'une nature que leurs juges, justiciers ne pouvaient concevoir avec clarté tant tout y était obscur jusqu'à leurs origines; et nous voici tous ensemble sur le grand catamaran, Isaac a loué pour nous ce bateau de touristes à deux coques, une voile, où allons-nous, que faisons-nous tous ici, pensait Caroline, énervée que le vent soufflât dans sa nouvelle coiffure sous le chapeau de toile, Charly, son chauffeur, l'avait conduite jusqu'à la jetée, dans sa voiture Charly avait promis de revenir la chercher le soir, Charly, Caroline, comme si Charly fût soudain une docile enfant, auprès de Caroline, mais n'était-ce pas un jeu, oui, ensemble elles avaient caressé les oreilles du chien, la fourrure frisée de ses flancs, ma petite Charly, avait dit Caroline, que ferais-je sans toi, Charly avait filé dans la voiture de Caroline le long de la mer, et tous ils avaient accouru vers Caroline, tant de visages, de corps se bousculant vers elle, les uns très vieux et ridés sous leurs chapeaux, les autres, de très jeunes gens, Adrien avait pris son bras comme si elle fût incapable de gravir seule la passerelle menant au bateau, et que disaient-ils tous, ma chère Caroline, quelle épreuve, nous pensons bien à vous, que cette jolie coiffure vous va bien, mon amie, avait dit Suzanne, Suzanne n'appréciait-elle pas toujours l'élégance de ses amies, pensait Caroline, se dirigeant toute droite vers le siège du bateau, qu'ont-ils tous à bourdonner autour de moi comme des abeilles, elle les regardait tous en soulevant ses lunettes noires, que se passe-t-il donc, cela semble être une occasion très particulière, les planches usées de ce bateau tiendront-elles tout le voyage, c'est bien lui, Isaac, ce philanthrope, de nous inviter tous dans son île nommée l'Île qui n'appartient à personne, quand il le sait bien, l'île n'appartient qu'à lui, j'espère qu'il enverra, pour nous accueillir, ses charrettes à chevaux ou ses voiturettes de golf, il n'y a là-bas que le dépaysement des chemins de terre, aucune électricité, quel ermite, cet homme, lorsque nous commençons tous à lui déplaire, nous, ses amis, il s'en va, c'est qu'il ne jouit pas d'une modeste fortune, comme moi, mais j'eusse préféré rester chez moi, pensait Caroline, et que Charly me fît la lecture près de la piscine, c'était agaçant tous ces regards qu'ils posaient sur Caroline, ces regards insistants, nous savons combien vous êtes affectée, ma chère, c'était Adrien, le mari de Suzanne, vieil ami toujours affable et conquérant, il portait un pull rouge sur un pantalon blanc, vraiment, nous avons beaucoup de mal à le croire, Suzanne et moi, j'ai préparé un bref discours, lequel de ses poèmes, croyez-vous, ma chère Caroline, que je devrais lire? J'entends le moteur du bateau, sommes-nous tous réunis, demandait Adrien de sa voix d'acteur, tous se tournaient vers lui, écrivain vénérable, grand, majestueux, auprès de qui Caroline se sentait soudain menue et frivole, je lui avais pourtant recommandé, dit Adrien à voix basse à Caroline, courbant vers elle sa haute silhouette, de ne pas partir seul, mais il ne m'a pas écouté, voilà, le bateau se met en marche, dommage que le temps soit un peu agité, je dois dire à tous ces jeunes gens, sur le pont, de venir s'asseoir, est-ce loin l'Île de personne, demandait Augustino à sa mère, Mélanie dit à Augustino qu'ils étaient presque tous ensemble, elle dit, ton père, ta grand-mère et toi, Augustino, vous êtes tous enfin près de moi, sur ce bateau, la tête de Mélanie reposait sur l'épaule de Daniel, quelques mèches grises sur le front de Daniel, pensait Caroline, on dit que Samuel est retenu à New York pour un spectacle de danse, Mélanie, Daniel, bien qu'ils commencent à changer eux aussi, pensait Caroline, c'est tout de même un couple exquis, je voudrais bien avoir leur âge et surtout leur fortune, à la mort d'Isaac, eh bien ! avait dit Rodrigo en quittant Daniel à la gare, je sais, *amigo*, que vous reviendrez, peut-être avant le prochain été, votre livre *Les Étranges Années* n'est toujours pas achevé, ne nous oubliez pas, nous, poètes des monastères, n'oubliez pas la petite fille de Grazie et de Carmello qui nous apportait à midi notre déjeuner dans une gamelle, l'hospitalité d'une comtesse qui nous logeait ici, souvenez-vous de ses vieilles domestiques presque centenaires comme elle, qui repassaient ses jupes et ses robes, servaient le thé à quatre heures, le vin rouge dans des carafes le soir qu'elles dégustaient avec leur maîtresse au repas, se dresse derrière nous le gigantesque château, son musée d'œuvres d'art d'un temps poussiéreux, une chapelle pour une femme pieuse,

s'étendent les parterres et les pelouses, les champs de tournesols, descendent des escaliers de pierre, le matin, les jar-
diniers aux soins minutieux décorant le château jour et
nuit de bouquets de roses blanches et roses, trois chats,
deux lapins, un lièvre apprivoisé se disputant la verdure du
merveilleux domaine, dormant le soir sur le tapis moel-
leux aux pieds de leur châtelaine, en ce bucolique décor
vous avez écrit et pensé, *amigo,* et maintenant vous voici
bien peiné car vous avez perdu un ami, et vous devez partir, *amigo,* le train entre en gare, n'oubliez pas les trois
paons sur le toit de tuiles roses, n'oubliez rien, et tout en
ressentant avec bonheur la présence de sa femme, près de
lui, Daniel entendant encore la voix de Rodrigo soudain
mêlée au chant des vagues, malheureux ce télégramme
que Rodrigo avait remis à Daniel, d'un air désolé, ce télégramme annonçant la fin d'un poète, l'écroulement d'un
monde, heureux celui qui avait encore près de lui, comme
Daniel, une femme, des enfants qu'il adorait, et encore tant
de livres à écrire, bien que les enfants, les livres fussent
aussi des sources de tracas, ces cheveux gris bordant le
front de Daniel, qu'était-ce, oui, d'où cela venait-il, avait
demandé Mélanie en le serrant dans ses bras, et il avait
maigri, heureux celui qui vivait, pensait Daniel, éprouvait
sans trop se plaindre ces souffrances et ces joies de la vie,
bien que Daniel fût inconsolable à la pensée de ne plus
revoir Jean-Mathieu, était-ce un maître, un ami, un père,
hier disparaissait l'écrivain, le philosophe Justin, aujour-
d'hui, Jean-Mathieu, et demain qu'arriverait-il, serait-ce le
tour de Frédéric qui ne sortait plus de chez lui, ou de qui
Charles s'exilait en Inde, les terrasses, les patios, près de la
mer se vidaient peu à peu de ces penseurs fins, subtils,

artistes encore à l'œuvre sous le cliquetis des ventilateurs en été, et si le front de Daniel se garnissait de ces rebelles mèches grises qui feraient s'écrier à son fils Samuel, mon pauvre papa, tu auras bientôt quarante ans, trente-huit, corrigerait Daniel, à peine quelques années de plus que toi, bien que Daniel sût que ce n'était pas vrai, qu'il y avait en effet bien des années entre lui et Samuel, un écart inconfortable, mais comment Samuel avait-il pu grandir si vite quand ses frères et sa sœur étaient encore des enfants, oui, si Daniel avait grisonné, vieilli, c'était bien entendu à cause de son livre, pensait-il, de cette retraite forcée dans un monastère en Espagne où le croisement de cultures l'avait ébahi et fatigué ; tous ils étaient responsables de son affaissement moral, les Débris et leurs macabres découvertes, Garçon Fleur et sa virtuosité au piano, la jeune Coréenne jouant de façon experte la musique de Schubert, tous ceux, celles que Daniel n'avait rencontrés qu'une heure dans le fonctionnement épanoui de leur art, sur les terrains, les divers ateliers du monastère où chacun s'exaltait dans son œuvre, y compris Rodrigo, à la chevelure de jais sous son béret noir, qui disait à Daniel en se levant le matin, écrivez, *amigo,* et que penser de ces caricaturistes Boris et Ivan qui l'avaient dépouillé de ses cigarettes en même temps que de sa carte téléphonique et de son ordinateur portatif, que voulez-vous, *amigo,* disait Rodrigo à Daniel, Boris et Ivan ont eu le courage de fuir leurs pays despotiques, de se libérer face au monde de leurs tyrans en étant de remarquables caricaturistes souvent barbares, je l'admets, mais pensez à leur histoire, *amigo,* Boris et Ivan sont tous les deux les fils de parents alcooliques qui les ont abandonnés un jour devant la porte de la Division et de la radiation des armes chimiques, afin qu'ils deviennent soldats, très tôt, ils devinrent les jeunes loups de la Brigade des enfants, on leur apprit tout de suite comment tenir une kalachnikov sur les terrains de combat de Kantemirovkskaya, ils vivaient pour leur entraînement dans des baraques, des casernes, des chambrées de l'armée, avec quelle fierté ils attendaient leurs bottes luisantes de soldats, leurs capes de fourrure doublées d'étoiles rouges, puis ils se révoltèrent, mais, *amigo*, il ne faut pas oublier que ce sont toujours de jeunes loups affamés, faut-il qu'ils m'enlèvent aussi la table où j'écris, le stylo, le cahier, soyons calmes, *amigo*, disait Rodrigo à Daniel que tous ces vols lésaient, *amigo*, n'avons-nous pas, vous et moi, mangé à notre faim pendant qu'ils mendiaient une couverture, un peu de pain ? Ainsi que Mark et Carmen boudant l'œuvre de Giotto, Rodrigo avait toujours raison ; il liait lui aussi le scandale à l'art, pensait Daniel, et les dernières audaces de Mark et de Carmen ne l'avaient pas sidéré, nous entrons avec Mark et Carmen, dans une réflexion post-volcan, post-cratère, disait Rodrigo, s'interrogeant, un doigt sur ses lèvres moustachues, stupéfiant, pensait Daniel, comment ont-ils déjà vendu à leurs galeries leurs dépouilles si peu glorieuses ? Des débris, des déchets ? Ce sont les installations de la colère, disait Mark, mais le plus indécent de l'art exhibitionniste de Mark et de Carmen, pensait Daniel, c'était cette exposition de leur art corporel ; sans doute y avait-il chez Mark quelque nostalgique respect d'un art plus conservateur, car il avait peint son torse de traits de gouache noirs et blancs évocateurs des autoportraits de Georges Rouault, dont la sobriété jusqu'à l'ascétisme, le tourment religieux eussent été absents, mais d'une manière différente Mark possédait peut-être les qualités du candide peintre dépourvu de toute malice, c'est moi, disait Mark, tel que je suis sous mon chapeau. Mark et Carmen s'étaient mutuellement peints et tatoués des pieds à la tête, nous voici, disaient-ils, le corps orné de toutes les couleurs comme dans les cérémonies africaines, pensez à ces grands chefs de tribus dessinant au rasoir sur leur peau les motifs de la victoire lorsqu'ils avaient vaincu un ennemi, le visage de Carmen ne semblait-il pas tacheté de graines de tournesol sous les grains de peinture jaune, de ses bras peints d'un puzzle bleu de même que de ses seins où fleurissaient des épines rousses n'émanait-il pas un oiseau couvert de plumes, sur le ventre de Carmen on pouvait lire, écrivez sur moi, cette exposition de Mark et de Carmen, leurs corps bariolés, truqués, falsifiés, cet art corporel mensonger, décadent, n'était-il pas un cauchemar dont se réveillerait Daniel, sur le bateau, soudain tranquillisé car Mélanie était à ses côtés, il l'avait retrouvée cette nuit, embrassée, aimée, oui, soudain ils étaient ensemble, Augustino à quelques pas de Mélanie, curieux de l'appareil photo que Caroline transportait partout avec elle, pourquoi sa mère ne lui ferait-elle pas cadeau d'un semblable appareil, objet dont il avait déjà compris, à la suite d'une brève explication de Caroline, le complexe mécanisme, et soudain Mélanie se redressait, elle se levait de son siège sur le bateau, secouait ses cheveux au vent, Daniel eut peur qu'elle ne revînt plus près de lui, il aurait à dire à Augustino que, non, les parents ne pouvaient procurer à leurs enfants tout ce qu'ils convoitaient, et puis, se disait-il aussi, Mélanie n'avait-elle pas toujours été si imprévisible dans son amour, c'était avant tout une

femme active, une combattante préservant son espace
intérieur de son mari, comme de tous, ce profil délicat de
Mélanie, elle ressemblait à sa mère qui s'avançait vers elle,
sur la passerelle, pendant que le bateau tanguait, combien
d'heures, papa, demandait Augustino, combien d'heures
encore sur l'océan avant de débarquer dans l'Île de personne, on ne voit pas encore de loin l'Île qui n'appartient à
personne, expliquait Daniel à Augustino, mais ces petites
îles que tu vois tout près, Augustino, où des pins ont été
plantés, des pins d'Australie, ce sont les îles aux plages de
sable appelées l'Île de l'homme, l'Île de la femme, l'Île qui
n'appartient à personne, laquelle appartient en réalité à
ton oncle Isaac, cette île est bien éloignée de nous encore,
et disait Mélanie à Esther, je sais que mes enfants garderont
en mémoire le nom de Gandhi, car on a beaucoup parlé de
lui au siècle passé, on se souviendra que sous sa quête de la
bonté, de la compassion, c'était un révolutionnaire, on se
souviendra de lui prêchant devant l'océan, il aimait ajou-
ter des symboles à ses sermons, la présence de l'eau, du sel,
du feu, sa parole était hypnotique, il savait parler aux
foules, ces foules qui le vénéraient et l'appelaient le
Mahatma, la Grande Âme, hélas! ce fut un assassinat qui
mit fin à la vie de ce non-violent, sa tolérance, son paci-
fisme, qui étaient absolus, soudain lui nuirent, on se souviendra de cet esprit qui transcendait la matière, mais se
souviendra-t-on de Rosa Parks et de son calme défi aux
racistes blancs, refusant de quitter sa place dans un autobus à Montgomery, en Alabama, oui, on se souviendra
d'Einstein, maman, et que le créateur de la théorie de la
relativité avait tout pour nous plaire, mais il vint très tard à
la défense de la paix dans le monde, beaucoup trop tard,

on l'appelait le pionnier, le cow-boy, le puissant intellectuel superstar, car ne cédait-il pas à ces faiblesses narcissiciques, aimant être peint, un manuscrit scientifique à la main, ou grimaçant à la foule, jouant bien du violon, d'autres ne voyaient en lui qu'un rêveur mathématicien, c'était un homme dont on découvrit peu à peu qu'il avait des doutes et des peurs, cachant ses hontes, a-t-il simplement compris qu'une irresponsabilité, dans une guerre atomique, indiquait clairement que la science pouvait être faillible et destructrice de la vie de millions d'êtres humains? N'était-il pas trop tard lorsqu'il disait, il ne faut pas utiliser ces armes? On se souviendra aussi de Nelson Mandela libérant l'Afrique du Sud de l'oppression, mais se souviendra-t-on d'une seule femme, une suffragette, d'Emmeline Pankhurst, mère de quatre enfants, comme moi, fondant un mouvement des femmes en 1903, se souviendra-t-on de cette longue croisade pour le vote des femmes, d'Emmeline Pankhurst, dont tous se moquaient, Winston Churchill, le premier, ces femmes qu'on appelait des harpies, des chattes dont il ne fallait pas entendre les miaulements, oui, mais en 1918, grâce à cette femme courageuse, dit Esther, le droit de vote serait accordé à toutes les femmes, en Angleterre, vois-tu, Mélanie, c'est peut-être ainsi que rien ne se perd, aucun acte de courage, Mère avait écouté sa fille en pensant, quelle passion, quelle véhémence, Mélanie est plus fidèle à elle-même, à ses idées, que je ne le fus, pendant toutes ces années, la fin inattendue de Jean-Mathieu pourrait être la mienne à tout instant, tandis que Mélanie a beaucoup de temps devant elle, étrange qu'elle n'ait pu résister à enfanter encore, Mai commence à peine à grandir, voici Mélanie devant une vie toute neuve, avec cette enfant, était-ce là ce que Mélanie désirait le plus, ce prolongement de sa vie dans un monde peu rassurant quand il est déjà si difficile d'élever des garçons, bien que Mère fût plus à l'aise avec ses petits-fils qu'avec ses fils, elle avait avec eux peu d'échanges, depuis son divorce, n'avaient-ils pas toujours été du côté de leur père chirurgien, feignant de tout ignorer de la réussite intellectuelle de leur mère, ses musées, ses nobles causes, mais à cet instant ce qui préoccupait Esther, debout sur la passerelle près de sa fille, c'était de voir que son chapeau de paille, noué par un ruban sous son menton, s'envoler au vent, ou d'avoir l'air ridicule sous ce chapeau, soudain Esther avait déconcerté Mélanie en disant, Mélanie, de ce siècle pétrifié dans ses lacunes et ses irréparables fautes, faut-il se souvenir de tout, je crois que nos enfants auront bien d'autres idéaux que ceux que nous leur avons laissés, Esther se tut car sa fille la regardait avec effroi, mais, maman, dit Mélanie, il faut que mes enfants se souviennent de tout, on ne peut pas vivre décemment sans la mémoire de ce qui s'est passé avant nous, n'est-ce pas ce que tu me disais toi-même, maman? Ai-je dit cela, dit vaguement Esther, sa main droite calant son chapeau sur sa tête, sans doute étais-je très jeune alors, tu verras, avec le temps, Mélanie, soudain nous ne voulons plus penser à toutes ces folies du monde, depuis quelques années, je n'ai plus de prédilection que pour l'horticulture, les arbres de notre jardin et la musique religieuse russe, pourquoi la musique religieuse russe, maman, s'exclama Mélanie, toi qui aimais tant les opéras italiens, j'aime tout, comme autrefois, dit Mère, mais j'ai appris à réduire mes ambitions et mes désirs, Mère savait qu'elle avait désagréablement surpris Mélanie, la raison pouvant en être aussi ce chapeau à ruban, d'un goût incertain aux yeux de sa fille, la jolie bouche de Mélanie s'enfla d'un pli amer, est-ce vrai, maman, tes arbres, tes fleurs, voilà ce à quoi tu penses désormais? C'est ce qu'ils méritent, dit Esther, tous ces arbres méritent que je pense à eux et que je fasse tout en mon pouvoir afin qu'ils demeurent vivants dans un monde où chaque jour la nature est saccagée, as-tu bien regardé, Mélanie, la floraison de l'arbre d'or, le tabebuia des Caraïbes qui possède deux cents espèces, on les voit dans nos rues, d'autres les appellent les trompettes d'argent, ils produisent en été des fleurs jaunes ou roses, l'arbre de Bombay de notre jardin est aussi très beau, et le banyan pleureur des anciennes résidences, l'arbre de Bombay, le banyan pleureur, répétait Mélanie qui revoyait en silence quelques tableaux d'horreur du siècle achevé, les khmers rouges de Pol Pot plongeant leurs baïonnettes dans le ventre de femmes enceintes attachées à des arbres, les meurtres massifs de Joseph Staline qu'elle avait souvent imaginés, Staline qui avait tant de répulsion pour l'eau de Cologne dont s'humectait son meurtrier de commande, Laventry Beria, cette odeur d'eau de Cologne dans laquelle il décelait, comme s'il fût innocent, l'odeur du crime, du viol, mais tenant peut-être à nuancer sa pensée, Mère dit à Mélanie, j'ai vu tout à l'heure Joseph, le père de Daniel, qui est à bord de ce bateau, je sais que, comme nous tous, il aimait beaucoup Jean-Mathieu, il était seul dans un coin du bateau et pleurait, aurais-je dû, Mélanie, me sentir coupable parce que Joseph pleurait, et que je ne pleurais pas, moi, sur Jean-Mathieu, me disant que la période de sa vie était révolue? Je ne sais pas, mais je ne puis voir Joseph sans me souvenir de tous les cousins de Pologne, le rabbin age-

219

nouillé devant l'agresseur, les bras levés comme s'il demandait grâce, l'oncle Samuel fusillé par une aube d'hiver, la complicité d'un pape vaniteux dans le mal, tout, je me souviens de tout, Mélanie, et de ces mots d'un aliéné, Adolf Eichmann écrivant dans son journal pour la postérité, j'étais un cheval parmi d'autres chevaux, ne pouvant briser, ni à ma droite, ni à ma gauche, la volonté et les ordres du cocher menant la voiture à ses fins, ces fins, c'était un génocide, je regarde le père de Daniel, dit Esther, et je comprends la cause de ses larmes, et je sais que ce n'est pas seulement Jean-Mathieu, il est encore inscrit dans son âme, dans son corps, l'appel au secours que d'autres ont lancé avec lui en Pologne, on vient de retrouver, datée de 1943, une carte postale qui a pu échapper à la censure, sous ces mots rédigés à l'encre sympathique, *ich liebe dich,* mon chéri, je pense à toi avec amour, on peut lire ce testament, sous l'encre invisible, épidémies, torture, avilissement, tueries par le gaz, exécutions, ce texte que Joseph porte encore en lui, dit Esther. Et pourquoi ne puis-je, avec Adrien et Suzanne, rendre visite à Jean-Mathieu, dans son île, demandait Frédéric à Edouardo et à Juan, eux avaient posé sur les épaules de Frédéric une robe de chambre, est-ce parce que je manque d'équilibre, dit Frédéric, et que peut bien faire mon ami Charles retiré depuis si longtemps dans son ashram, en Inde? Pourquoi sont-ils tous partis? Allons sous la tonnelle des acacias, dit Edouardo à Frédéric, Juan lira les journaux comme il le fait chaque matin, après le bain, je ne veux entendre que les commentaires sur la musique, dit Frédéric, tout le reste n'est que foudre et malheur, Charles ne le disait-il pas lorsqu'il vivait avec moi, lire les journaux, c'est permettre que rentre chez soi, dans sa maison, un monstre de pierre, pourquoi cette robe de chambre, ne fait-il pas assez chaud pour ne pas se vêtir? Il y aura ce soir au théâtre, dit Edouardo lisant à Frédéric qui ne l'écoutait pas, une création musicale cubaine, et le *Concerto pour piano n° 1* de Rachmaninov, je les jouais brillamment tous les trois, à seize ans, dit Frédéric, il y aura aussi, poursuivit Edouardo, sur un voilier, les *nouveaux concerts gratuits pour les enfants de Julia Benedicto*, une suite symphonique de Prokofiev, je sais, dit Frédéric avec lassitude, ce sont les concerts bénévoles organisés par Isaac, Isaac est un grand maître de l'architecture moderne, mais que connaît-il à la musique? Où sont-ils tous partis, Adrien, Suzanne, où est Jean-Mathieu, répétait Frédéric d'une voix pitoyable, vous ne me dites pas la vérité au sujet de Jean-Mathieu, je le sais, dit Frédéric en se dégageant brusquement de la robe de chambre qui roula à ses pieds squelettiques, mes os m'ont torturé toute la nuit, lorsque mes jambes se frôlaient pendant mon sommeil, oui, Isaac, cet homme légendaire, qu'a-t-il inventé encore? Pourquoi ne me dites-vous pas quand Jean-Mathieu sera de retour, ne serait-ce pas plus raisonnable que je retourne dans mon lit, que jamais plus je ne songe à me relever? J'apporte le café et les cigarettes, dit Juan en recueillant la robe de chambre de Frédéric dont il lui couvrit encore les épaules, il y a un peu de vent, ce sera une belle journée, dit-il à Frédéric, ce même vent sur la mer et ce sera une journée néfaste, dit Frédéric, Ari a-t-il fini sa sculpture pour les jardins de l'aéroport, près de la mer, cette sculpture sera immense, dit Juan, les formes de ses matériaux suggéreront les vagues de la mer, quelques lignes vertigineuses entre le ciel et la mer qui inviteront au repos de la pensée, et Mère la vit telle une enfant abandonnée dans sa robe traînant jusqu'aux chevilles, c'était Mai, jouant seule sur la passerelle comme si ses parents l'eussent oubliée là, son visage n'était-il pas très rouge au soleil que ne protégeait aucun chapeau, qui l'avait ainsi attifée ce matin, dans cette robe vieillotte au large col blanc, ses cheveux étaient ébouriffés comme si on les eût coupés de travers, ni Daniel ni Mélanie ne semblaient être attentifs au désarroi de l'enfant sur ce bateau, pensait Esther, tout à leurs engagements respectifs, ils négligeaient Mai, Mai qui portait le nom d'une enfant d'origine martiniquaise disparue dont on n'avait jamais retrouvé la trace en Ontario, et qui accuser de négligence, était-ce Marie-Sylvie qui avait omis ses devoirs, Mélanie, ou Mère qui n'avait pas vu Mai ce matin à son réveil, croyant que Mélanie était auprès d'elle, Mélanie ne passait-elle pas une heure avec ses enfants tôt le matin, avant leur départ pour l'école, la maternelle, lorsqu'elle était à la maison, cette idée que la petite Mai fût aussi désolidarisée d'eux tous inquiétait Mère, qui se reprocha soudain d'avoir incité Mélanie à la vie politique, Daniel apercevant Mai qui s'ennuyait seule vint près d'elle, la souleva sur ses épaules, Esther pensa que cette distraite vigilance d'un père envers sa fille qu'il voyait si peu était surtout égoïste, décevante; les grands yeux de Mai, pendant qu'elle était assise sur les épaules de Daniel, au-dessus d'une mer trop mobile dans le vent, gardaient leur insondable tristesse, sous le battement des paupières, papa, je veux redescendre, dit-elle dans un cri, papa, et ce cri de Mai parut inaudible, aussi lointain dans les remous de l'air que le cri d'une tourterelle; un couteau dans la poche de ses jeans, un fusil semi-automatique Davis 32 enfoui sous son chandail à carreaux, comme si ce ne fût qu'un livre de classe, Jamel se dirigeait vers l'école élémentaire de la Trinité où, depuis quelques semaines, il apprenait à écrire, mais Jamel n'était pas comme les autres élèves qui déjà écrivaient, assistaient l'après-midi à leurs premiers cours préparatoires à l'ordinateur, essaim de dos raidis devant un écran lumineux, Jamel n'était pas de ceux-là, hier, son institutrice lui avait dit de rentrer à la maison, car il avait poignardé Ingrid Maurice avec la mine de plomb de son crayon, le directeur de l'école ne l'avait-il pas fait venir dans son bureau en demandant à Jamel pourquoi il était si agressif, parce qu'il aimait Ingrid Maurice, sept ans, qui ne l'aimait pas, dit Jamel, ne voulait-il pas apprendre à lire, à écrire, comme tous les autres écoliers de six ans de sa classe, et pourquoi venait-il à l'école sans sa collation du midi, n'avait-il pas une mère, un père, pourvoyant à ses besoins, Jamel avait pleurniché sans rien dire, se souvenant du fusil semi-automatique de son père, sous les couvertures du sofa où dormait l'oncle André et, tassé contre lui, Benjamin, son frère de huit ans, la mère de Jamel avait souvent dit qu'il eût mieux valu que ce fusil ne fût pas dans la maison, mais tous craignaient la rage vengeresse de l'oncle André lorsqu'il battait Jamel et Benjamin, leur mère, c'était le jour où était livré dans la cabane le chargement de cocaïne, pensait Jamel, quand son oncle le battait, ce jour-là comme aujourd'hui en marchant vers l'école, la tête de Jamel était bouillonnante des clameurs de l'oncle André, de sa mère, se chamaillant la nuit jusqu'à l'aube, mais ce qui inspirait le plus de terreur à Jamel, c'était lorsqu'ils s'en allaient tous pendant la nuit et qu'il se réveillait seul sur le matelas sale, pourquoi le laissaient-ils seul dans ce lieu terrifiant aux fenêtres obscurcies d'où on ne pouvait voir poindre le jour, toutes les fentes, les ouvertures des fenêtres et des murs ayant été obstruées par du papier, des cartons adhésifs, et si c'était l'heure de partir pour l'école, Jamel n'était jamais prêt car il ne voyait rien dans le noir, ni ses vêtements ni ses livres éparpillés dans la pièce, alors sa tête bouillonnait comme si elle eût été en feu, où étaient-ils tous, son père, sa mère, l'oncle André, larmoyant, il les réclamait tandis que gloussaient dans la cour une poule et ses poussins dans les décombres des voitures, des bouteilles cassées pendant la nuit, quand les hommes discutaient entre eux dehors, et pourquoi Jamel eût-il tant à craindre maintenant, c'était pourtant le jour, bientôt il serait dans la cour de récréation de l'école de la Trinité d'où l'on voyait tout l'intérieur de l'école, contre cette vitre où des écoliers avaient dessiné des étoiles, on pouvait voir Ingrid Maurice qui lisait bien, Ingrid Maurice qui avait dit à Jamel qu'il n'était qu'un voyou fils d'André et de Tara qui étaient aussi des voyous, Jamel qui venait à l'école sans se laver, sans sa collation du midi, oui, debout sous le palmier, près de la fenêtre où des étoiles avaient été colorées sur la vitre, Jamel voyait Ingrid Maurice qui lisait avec application le nez dans son livre de lecture, menue, fluette, l'expression de son visage était décidée, sa bouche plissée et sans sourire, entêtée, elle avait appris à lire avant les autres, si elle eût levé les yeux vers Jamel, debout sous le palmier, elle l'eût regardé sans le voir, ou bien eût-elle dit avec effronterie à Jamel, qui es-tu, toi? Mais cette fois, c'est Jamel qui la regardait sans qu'elle le vît, Jamel qui était le plus fort, elle ne pourrait plus dire, toi, va-t'en, tu me répugnes avec ton chandail à carreaux, toi qui vis dans un hangar avec les poules, elle ne dirait rien car Jamel la ferait taire avant qu'elle ne prononçât une seule parole, avant qu'elle ne tournât la page de son livre, Ingrid Maurice comprendrait que Jamel était aussi fort, aussi violent que l'oncle André bien que dans sa famille on n'eût aucun égard pour Jamel, qu'on le battît sans raison tous les jours, qu'on lui tordît les bras, qu'on l'accablât de coups de pieds sans que sa mère ne fît rien pour le défendre, et si Ingrid Maurice se croyait supérieure à Jamel parce qu'elle était de race blanche, elle se trompait, car Jamel qui n'avait pas encore six ans était plus musclé qu'elle, dommage qu'il ne l'eût pas égratignée au visage avec la pointe de son crayon, qu'on l'en eût empêché, ce matin il s'attaquerait à Ingrid Maurice qui lui disait toujours en levant la tête, et toi, qui es-tu, un couteau dans la poche que nul ne verrait, un fusil sous le coton raide du chandail, il serait aujourd'hui comme l'oncle André faisant la loi dans la maison, disant, vous m'obéissez ou vous goûterez tous à ces balles à travers les côtes, et toi, Jamel, déguerpis de là, personne ne veut de toi ici, tu ne vois pas que ta mère, ton père se piquent, tête détraquée, va-t'en, personne ne t'aime ici, et il avait long-temps couru, gibier apeuré, et maintenant il ne craignait plus personne, il n'avait qu'à sortir l'arme de ses jeans et tout serait fini, leurs rires, leurs méchancetés, tout, la nuque de l'élève de première année, Ingrid Maurice, était inclinée, fluette, blanche telle la gorge d'un pigeon, la tête de l'élève Jamel bouillonnait, était-ce parce qu'il avait lon-guement marché au soleil, sans boire un seul verre d'eau, se couchant dans la crasse depuis quatre jours, ne se lavant plus, imprégné des odeurs moisies des parois closes, des fenêtres sans air, bloquées, d'où ne s'écoulait qu'un filet de lumière dure, et soudain le coup partit vers la nuque blanche d'Ingrid Maurice sans que Jamel ne put rien faire pour le retenir, cela faisait tant de bruit qu'épouvanté Jamel vit l'arme tomber à ses pieds, dans la classe de première année, que se passait-il donc pour que tous les élèves instantanément cessent de lire, pendant que Jamel courait, courait, ne sachant dans quelle direction il devait s'enfuir, de ce côté était la porte du bureau du directeur, de l'autre, une salle de jeux où il serait vite capturé, et pourquoi, qu'avait-il fait, rien n'était sûr sinon qu'il avait marché trop longtemps au soleil, qu'il allait vomir, ce qui était sûr, pensait Jamel, c'est que même si Ingrid Maurice avait appris à lire la première, dans la classe, elle ne dirait plus à Jamel, toi, voyou, je ne t'aime pas, cela, c'était réglé, pensait Jamel, jamais plus elle ne lui ferait de peine, peut-être que, comme avec la mine de son crayon l'autre jour, il l'avait seulement égratignée, et comme c'était une fille, elle se plaindrait au directeur de l'école, et encore une fois Jamel serait puni, ses parents le battraient, il les haïssait tous, et Ingrid Maurice aussi, il les haïssait tous furieusement, pensait-il, en avalant ses pleurs. Et Mélanie fut déçue que sa mère interrompît leur discussion si grave en disant, ma chérie, si on veut vivre plus longtemps dans cette vie, il faut savoir pardonner, que cet aveu de sa mère était désolant, pensait Mélanie, car il ne fallait jamais renoncer à châtier l'oppression, l'ignominie dans la cruauté, ne jamais absoudre ni acquitter ceux qui avaient profané l'image de l'humanité, était-ce bien sa mère qui parlait ainsi, et soudain Mélanie avait perçu le cri de Mai dans les bras de son père, accourant vers elle, Mélanie avait pensé au bonheur d'avoir désiré une fille, de l'avoir conçue, il lui semblait que c'était à une période plus apaisée de sa vie quand était moins vive sa contestation du monde, lorsque Mélanie était plus physique ; la vie qui avait précédé la naissance de Mai ne s'était-elle pas déroulée sur l'eau, auprès d'un maître venu de Puerto Rico lui enseigner une totale relaxation de l'esprit, des muscles, dans le silence, l'apesanteur de l'eau, sur cette eau soyeuse, comme si un bras eût soutenu ses reins, Mélanie avait ondoyé avec sa fille dans un même flottement, une chaude sensation liquide sans effort, songeant que si près d'elle Mai entendait peut-être sa respiration, l'abandon de ses mouvements la réconfortant peut-être, sans effort allait naître Mai, toute polie par l'exercice marin, la flexibilité de sa mère, Mélanie avait attendu la naissance de Mai tout en s'entraînant à respirer autrement sur l'eau, elle avait dansé, nagé, dans la pratique matinale du yoga, Mélanie ne se souvenait-elle pas encore de cette routine plus fluide, plus souple de l'attente de la vie, quand pour elle la naissance de Vincent avait été si ardue, comme si elle lui eût transmis une indisposition à vivre en naissant, était-ce alors, parce qu'elle respirait mal, travaillait tard dans la nuit, Mai serait l'enfant du flux, de la montée tranquille de la mer, de la respiration dirigée par des techniques de méditation, Mai serait une force de la nature, une merveille des eaux du récif de corail, tel un dauphin, en flottant, en jouant déjà dans les vagues, l'enfant de Mélanie sentirait déjà un espace refermé qui la contenait, l'amplitude de l'océan débouchant avec elle sur le monde, mais ce monde, comment serait-il à la naissance de Mai, tout aussi endolori, dans le sang ? Cette vie de Mai soudain n'appartenait plus à Mélanie, sinon par ce cri, maman, où est maman, pourtant cette chair, cette eau, le sel des larmes, dans les yeux de Mai, c'était aussi un peu de sa chair que Mélanie recouvrait d'un amour moins entier, plus détaché, extérieur, Mélanie avait conscience d'aimer sa fille aujourd'hui dans une métamorphose de sensations, de sentiments parfois attiédis par la vie quotidienne qui ne ressemblaient plus à ce qu'elle avait éprouvé jadis lorsqu'elle ne faisait que l'attendre, car autrefois, avant la naissance de Mai, quelle frénésie d'amour s'emparait encore d'eux, Daniel, Mélanie, du couple qu'ils formaient, dès que se stabilisait, ne serait-ce que pour quelques jours, l'état de santé de Vincent, la précarité de son souffle ténu, pourtant si tenace, c'est ce souffle de Vincent, entre la vie et la mort, qui les avait peut-être rapprochés longtemps, dans une même exaltation du plaisir, soudain après la naissance de Mai, n'avaient-ils pas été consternés en voyant qu'ils n'étaient plus aussi près l'un de l'autre, combien semblaient lointaines ces nuits où ils s'endormaient enlacés sur la plage, où ils buvaient à une même coupe sur les terrasses illuminées ou dansaient jusqu'à l'aube, à cette orgie des sens et des sorties nocturnes, pensait Mélanie, succédaient un homme, une femme, aussi unis qu'ils puissent l'être, mais que distançaient leurs professions, ils n'étaient plus identiques, ces amants, comme lorsqu'ils n'avaient été que des parents maintenus par un même devoir ; et ce bateau nous mènera-t-il à bon port, demandait Suzanne à Adrien qui exprima un peu d'agacement qu'en un jour aussi tragique sa femme fût là, aimable et souriant à tous, il est vrai que Suzanne, ne l'avait-elle pas expliqué à son mari maintes fois, avait la certitude que la mort n'existait pas, qu'il n'y avait vraiment aucune cessation de la vie, un départ vers de plus hautes sphères, disait-elle, mais aucune extinction qui fût définitive, théorie de l'espoir qui était aussi celle de Jean-Mathieu, dirait Suzanne, et en quoi cela peut-il ramener Jean-Mathieu, parmi nous, dans le monde des vivants, pensait Adrien qui n'appréciait pas que Suzanne énonçât des idées différentes des siennes, la preuve, dit Adrien avec sévérité à Suzanne qui demeurait d'une sérénité imperturbable, que cette théorie n'est que fantaisie de femme ou rêve de poète, c'est que nous voici transportant sur ce bateau les cendres de notre ami dans un coffret, ce qui ne signifie pas, dit Suzanne, que l'âme de notre ami bien-aimé ne puisse survivre à la ruine de son corps, plus avancé que nous Jean-Mathieu nous attend sur l'autre rive, et mon Dieu, que ce voyage en mer est long, à quelle heure arriverons-nous ? Ah ! je vois un charmant garçon sur le pont qui offre à boire, ce que Jean-Mathieu eût bien approuvé, eh bien ! moi, je n'approuve pas, dit Adrien à Suzanne, je te recommande, Suzanne, de ne pas boire, il s'agit de Jean-Mathieu, un mort, pas le bon vivant que nous avons connu, mais Jean-Mathieu est toujours le même homme, c'est toujours Jean-Mathieu, dit Suzanne, joyeuse, que tu es ennuyeux, Adrien, et le mouvement du bateau la secouant de sa torpeur, Caroline prit son appareil, photographia Mélanie, puis sa fille, Mai, c'était la chose la plus facile à faire, pensa Caroline, prendre des photos afin de ne pas être remarquée comme celle qui avait été si longtemps la compagne de Jean-Mathieu, car ils ne cessaient tous de lui dire combien ils étaient attristés pour elle, bien que rien de tout cela ne fût vrai, qu'elle ne fût pas certaine, et pourquoi l'eût-elle été, ils ne s'étaient pas même dit au revoir, que Jean-Mathieu fût parti, sauf en Italie d'où il reviendra ébloui, comme après chacun de ses voyages, d'où il ne pouvait que revenir, élégant, sa canne à la main, n'était-il pas plus agréable de photographier l'enfant que la mère, c'était tout en joliesse débraillée, quelque petit être sauvage encore indompté, allons, souris, dit Mélanie à Mai qui offrit à Caroline les lignes pures de son visage maussade, ils n'écoutent rien à cet âge, dit Mélanie à Caroline, et Caroline observa surtout l'expression mélancolique de l'enfant, presque de l'hostilité, pensa-t-elle, soudain immobilisée comme sous le choc d'une violente douleur, Caroline pensa à Jean-Mathieu, n'allait-il pas toucher son épaule, et lui dire, lui qui la conseillait toujours bien, ma chère Caroline, ne vous êtes-vous pas trompée au sujet de cette jeune fille, Charlotte, si elle n'était pas aussi honnête que vous le croyiez? Mais bientôt l'écho de la voix chère se dissipa et Caroline se revit, petite fille, aussi revêche que Mai, dans une robe à col blanc, qui donc l'habillait de façon si ridicule, elle se revit tiraillée entre sa nourrice noire et une mère riche pour qui elle ressentait de la vénération, cette mère qui comme elle, Caroline, avait été très aimée des hommes, Caroline songea que si elle était si mal habillée, c'était sans doute à cause des servantes qui la vêtaient le matin, puis elle se demanda comment elle avait atteint ce point culminant de sa vie, le vieil âge, quand la jeune Mai, son fantôme revêche, lui faisait mal, et si je me trompais au sujet de Charly, s'entendit penser Caroline, je me retrouverais sans tarder parmi ces détestables personnages séniles qui n'attirent ni pitié ni respect, mais si Charly n'est pas tout à fait honnête, du moins peut-elle me servir, si elle ne peut m'aimer, je la comblerai de cadeaux s'il le faut, la bonne, a-t-elle appelé la bonne, et ma secrétaire qui doit expédier mes photographies pour l'exposition de New York, oui, il fallait en convenir, si peu pratique, Charly était une piètre dame de compagnie, pensait Caroline, ce qu'elle simulait de donner sans réserve, dans une opaque indifférence, c'était avec délectation pour les yeux chez ceux et celles qui s'enchantaient de l'élasticité de ses mouvements félins, sur une plage, au bord d'une piscine, moins dénudée, en un temps où l'on portait davantage de vêtements n'eût-elle pas inspiré le photographe Helmut Newton, avec son charme fruste, sa grâce androgyne ? Mais songeant à ces modèles qui avaient posé pour le photographe, au trouble se dégageant de ces lascifs visages de jeunes femmes, leurs yeux masqués de noir, leur bouche entrouverte sur des dents féroces, Caroline vit la figure de Charly se superposer à celle de Mai, balayant toute innocence, Charly semblait soudain aussi rébarbative qu'inaccessible, noire androgyne vêtue d'un smoking noir, tenant sa cigarette d'une main aux ongles peints d'une couleur pourpre, l'autre main glissant dans la poche de son pantalon avec une nonchalance étudiée, tels ces personnages de Newton, saisis pour leur tendre opacité, mais dont on ne peut percer l'âme pourtant à fleur de peau, Charly ne tendait aucune prise au figement interdit qui était le sien, pensait Caroline, qu'était-ce en elle que cette extase arrêtée, le résultat d'un culte des drogues ou quelque passion fétichiste qui échappait à Caroline? Charly couvait dans son cœur glacial une passion qui était toujours innommée, mais si dangereusement obscure pour Caroline, et Adrien demanda encore qui étaient ces garçons, ces filles qui se faisaient bronzer sur le pont, de jeunes admirateurs de l'œuvre de Jean-Mathieu, dit Suzanne, ses lecteurs, nous sommes sur ce bateau pour nous recueillir, dit Adrien, que dirait Jean-Mathieu s'il voyait ces corps idolâtrant le soleil, sur le pont ? Il en serait ravi, dit Suzanne, on ne voit rien à l'horizon, pas même une embarcation de pêcheurs, est-ce que la vitesse de croisière n'a pas diminué ? Ne vois-tu pas les nuages blancs, là-bas, dit Adrien, nous verrons des tortues de mer, des poissons volants, des colonies d'oiseaux sur des rochers moussus, je sais que tu ne regretteras pas d'être venue, dit Adrien à sa femme toujours rétive sur l'eau, là-bas, c'est le paradis, tu le sais bien, Isaac ne choisit toujours que des lieux magiques lorsqu'il veut réunir ses amis, mais Adrien, tout en parlant à sa femme de ce ton condescendant qui la peinait car l'aversion de Suzanne pour l'eau n'était-elle pas puérile, Adrien avait bien d'autres soucis, il pensait à son discours, sur l'estrade de bois, dans une heure, citerait-il Socrate ou Bossuet, ses qualités oratoires avaient été honorées dans les universités, les collèges, mais il suffisait qu'il y eût un peu de brise, dans les pins, les sapins, ou qu'un visage grimaçât d'ennui dans ce singulier auditoire, car tous n'étaient pas assez sérieux, réfléchis, pendant cette traversée, et on ne l'entendrait pas, son discours ne serait qu'un confus bavardage de professeur devant des étudiants indignes, Socrate ou Bossuet, ou bien un poème tiré de sa propre anthologie, non, car ces jeunes gens, sur le pont, ne l'eussent pas assez apprécié, ces enfants ignares semblaient ignorer qu'Adrien était leur poète national, couvert d'honneurs et de prix, Suzanne avait choisi pour lui le chandail rouge voyant, le pantalon blanc, ainsi Adrien avait l'air à la fois imposant et juvénile, disait Suzanne, quant à Caroline, toujours munie de son appareil photo, combien elle paraissait frêle soudain sous son grand chapeau, que se passait-il donc dans sa vie pour qu'elle refusât de voir ses amis, elle qui était d'habitude si sociable, Adrien et Suzanne ne l'avaient pas vue depuis plusieurs mois, oui, ce sera Socrate, décida Adrien, Suzanne et Caroline, à bien y penser, toutes ces femmes intéressaient peu Adrien, en Jean-Mathieu, Adrien avait perdu la fréquentation d'un esprit supérieur, et nul autour de lui, pas même sa femme Suzanne, ne semblait comprendre ce drame, non, ni ces femmes souvent frivoles, ni ces adolescents se dorant nus au soleil sur le pont, nul parmi eux ne pouvait percevoir, deviner combien Adrien souffrirait demain, chaque jour de sa vie, du départ de Jean-Mathieu. Marie-Sylvie dit à Vincent sur la jetée, c'est ici que viendra accoster à l'heure du soleil couchant le grand catamaran, quand reviendront de l'Île qui n'appartient à personne tes parents, leurs amis, et levant la tête vers les drapeaux agités par le vent, l'oscillation des mouettes dans le ciel, Vincent demanda à Marie-Sylvie s'il pouvait jouer maintenant, il tenait sous son bras droit le merveilleux présent que son père lui avait rapporté de voyage, c'était une trottinette de métal d'un luxe inouï pour un objet aussi simple qu'au XXe siècle on avait appelé la lame, tant il prenait peu de place, puis-je me promener sur le quai à toute vitesse, demanda Vincent, et Marie-Sylvie vit que, sans même attendre d'elle une réponse, Vincent posait le pied sur l'étroite marche de fer montée sur deux roues, qu'il avançait déjà vers la mer, bien qu'elle ne cessât de le surveiller, une lettre de Jenny à la main, il ne faut pas t'épuiser avant le retour de ta maman, dit Marie-Sylvie à Vincent, dans le vent, tu sais qu'elle n'aime pas que nous venions si près de la mer, mais je n'en parlerai à personne, cria Vincent, dans un excès de joie, ce sera notre secret, *Lumière du Sud, Lumière du Sud*, je vois le bateau de Samuel, là-bas, à la marina, nous allons replier la trottinette et bientôt rentrer à la maison, dit Marie-Sylvie, ta maman me téléphonera plus tard du bateau, je dois lui confirmer que tu as absorbé ton médicament ce matin, *Lumière du Sud*, criait Vincent, *Lumière du Sud*, tu vois bien que je n'étouffe plus, dit Vincent, réjoui de crier si fort dans le vent, c'était une civilisation vouée pour quelques-uns, mais n'étaient-ils pas une multitude, en ce monde, pensait Marie-Sylvie, à un complet bien-être d'où seraient bannies peu à peu la lourdeur, la pesanteur et la conscience des maux d'autrui, une civilisation sans fil où l'on pourrait toujours rejoindre Marie-Sylvie et lui demander avec intransigeance, qu'as-tu fait aujourd'hui, tu as bien pris soin des enfants, de si loin, d'ailleurs, on pourrait toujours la culpabiliser, pour quelque manquement, l'air était surchargé de ces messages codifiés transmettant aux uns un confort de légèreté si important qu'on n'eût jamais pu le concevoir auparavant, cela, tout en écrasant les autres du poids de plus en plus vaste de leurs privations, quelle ravageuse malédiction minait le cœur solitaire de Marie-Sylvie, car Jenny, sa seule amie, lui annonçait dans cette lettre que son travail de médecin l'obligeait à combattre en Afrique saharienne une épidémie dévastatrice, elle suppliait qu'on lui envoyât du secours, Mélanie, si humaine, ne pourrait-elle venir se joindre à elle dans la lutte, des milliers d'orphelins de parents décédés en quelques mois, écrivait Jenny, j'ai près de moi Napiri, Douglas, une petite fille de deux ans, Immaculée, plus d'une dizaine de millions d'enfants sont comme eux, et le chiffre croît, lorsqu'ils vomissent de la bile, comme Napiri, ce matin, ah! que puis-je faire de ces enfants sans mère qui seront eux aussi exterminés par la maladie, tous sont pourchassés dans leurs villages, personne ne veut de ces enfants, et bien des jeunes filles enceintes qui n'ont pas quinze ans ont déjà contracté le virus, personne ne nous aide, nous avons très peu d'argent pour secourir toutes ces vies, c'est l'agonie d'un peuple fier de l'Afrique, parle à Mélanie, Marie-Sylvie, nous ne pouvons désormais compter que sur l'appui actif, la participation engagée et réelle de chaque individu, car aux cas nouveaux s'ajoutent encore chaque jour ici des cas nouveaux, et Marie-Sylvie pensait, qu'ils se taisent tous, que Jenny ne m'écrive pas ces lettres, je ne suis que Marie-Sylvie de la Toussaint sauvée avec mon frère dément par un prêtre sur un bateau naufragé, venue de la cité maudite du soleil, rejetée à la mer comme un morceau de bois, un détritus, mon frère hurle encore dans les rues de la ville, la nuit, sacrifiant le jour des bêtes, des oiseaux car il appartient à une secte, n'ai-je pas assez de ce frère, n'en avons-nous pas assez, nous aussi, de nos épidémies, de nos désastres, déluges et guerres, nous voici, tentant d'échapper aux rivières de boue, dépossédés de nos maisons détruites par le feu, l'eau, en grimpant aux arbres avec nos maigres possessions, ne sachant plus où trouver refuge que dans les arbres qui, comme nous, seront noyés dans la boue, le limon, ces rivières, ces déluges, quand sont mortes nos vaches, quand tous nos ponts, toutes nos routes ont été coupés, au sommet des arbres décharnés, nous voici, poussant dans les branches notre misérable convoi, une bicyclette, une rame, quelques melons, nous attendons que nous aperçoivent les hélicoptères, les avions, qu'on lance vers nous un filet, la manne, mais pendant des heures rien ne vient, rien ne vient, soudain Marie-Sylvie sentit sur son visage les mains de Vincent, elle vit la trottinette couchée sur la maçonnerie de la jetée, pourquoi pleures-tu, demandait Vincent à Marie-Sylvie, surpris par ces larmes, Vincent n'était-il pas d'habitude celui que Marie-Sylvie consolait, pendant ses crises, Vincent étendait les mains sur le visage de Marie-Sylvie, comme le faisait sa mère lorsqu'il suffoquait, fini le chagrin, dit Vincent, maman me le dit souvent, fini le chagrin, Marie-Sylvie rabroua doucement Vincent, comment cet enfant eût-il pu l'alléger de son malheur, pensait-elle, elle prit la main de Vincent, il fallait maintenant replier la trottinette et rentrer à la maison, dit Marie-Sylvie, maman téléphonerait bientôt, de toute façon, on ne pouvait plus s'attarder sur la jetée quand augmentait le vent, et Suzanne aperçut la rive de l'Île qui n'appartient à personne, Isaac sur le quai leur faisant signe à tous de s'approcher, des embarcations à moteur allèrent les recueillir tous, un à un, ils furent regroupés sur la terre ferme, dans ces chemins de sable de l'île qui avaient été à peine défrichés par les employés d'Isaac, un pavillon d'aspect rustique encore inachevé s'érigeait entre les pins vers le ciel, quelle journée radieuse, dit Isaac, en embrassant Suzanne, et vous voici tous à mes côtés, à l'aide de son téléphone cellulaire Isaac fit venir des voiturettes de golf, afin que les plus vieux dans cette assemblée, dit-il, n'eussent pas à marcher longtemps jusqu'à l'autre bout de l'île où réapparaissait la mer, à marée basse, étonné, Isaac remarqua qu'aucun de ses amis ne tenait à s'épargner la fatigue de la marche, il dut les supplier de monter dans ces voitures, Suzanne s'excusa poliment en disant qu'elle préférait marcher avec les jeunes gens jusqu'au pavillon, Caroline céda à la courtoisie d'Isaac, avouant qu'elle était un peu lasse, d'autres la suivirent, ils partirent dans le jour bleu, très clair, des jeunes gens riant et courant derrière les voiturettes, comme si ce fût un jour de fête, ce qui choqua Adrien qui leur cria de sa voiturette, mais enfin qu'avez-vous à tant vous amuser quand Jean-Mathieu nous a quittés, ces jeunes gens n'ont aucune déférence, dit-il à Caroline, elle vit ses mains qui tremblaient d'indignation sur l'étoffe du pantalon blanc, c'est qu'ils sont très jeunes et qu'ils n'ont pas connu Jean-Mathieu comme nous l'avons connu, finit par dire Caroline, et ses yeux s'émerveillèrent devant la beauté de l'Île qui n'appartient à personne, où malgré la sauvagerie tout lui semblait ordonné, paisible, assis aux côtés de Caroline, ses jambes grêles hâlées dépassant de son short kaki, pieds nus dans de vieilles chaussures de cuir béantes, d'où s'écoulait une poudre de sable blanc, Isaac désignait, sur les plages, les colonies d'oiseaux de son île, les aigrettes garzettes, les hérons cendrés, ces oiseaux tant aimés de Jean-Mathieu lorsqu'il venait écrire ici, pendant quelques jours, chaque mois, dit Isaac, Isaac parlait d'un ton poignant, affligé, j'avais d'abord pensé à lui lorsque j'ai acheté cette île, dit Isaac, j'avais pensé à la paix, à la solitude que Jean-Mathieu viendrait retrouver ici, cela aura-t-il le même sens, sans lui? Isaac était un homme encore beau, pensait Caroline, elle enveloppait d'un regard lent, sous ses lunettes, le profil creusé d'Isaac, ainsi on lui disait encore que Jean-Mathieu ne reviendrait pas, c'était donc vrai, bien qu'elle ne pût le croire, nous avons aussi la grande aigrette qui se reproduit ici, mais voyez ces petits hérons blancs, leurs plumes vaporeuses, ils évoluent sur ces rives par troupes et pêchent les grenouilles, les hérons cendrés vivent par couples et nichent dans les arbres, dit Isaac, ah! voici mon estrade de bois, pensait Adrien, lorsqu'ils furent près du pavillon en construction, de ses patios et vérandas où les ouvriers buvaient de la bière, au soleil, Isaac a même pensé aux chaises et aux bancs, tout est prêt déjà pour l'éloge funèbre, une journée parfaite, le vent a baissé, je dirai, oui, que Jean-Mathieu maîtrisait un humour socratique, une sagesse, une liberté d'esprit semblables à celles que prê-chait le philosophe, pour aimer les autres, ne fallait-il pas d'abord s'aimer soi-même, comme il est dit dans le pré-cepte, « Connais-toi toi-même », pensait Adrien, et l'air tiède de la mer montait à ses narines, à ses tempes, qu'il était agaçant toutefois que Suzanne eût cet entrain de jeu-nesse, qu'elle fût comme ses filles le tenaillant d'impercep-tibles moqueries, c'était insidieux, toutes ces femmes autour de lui, comment ne pas admettre que Suzanne écri-vît aussi bien que lui, elle avait peu publié mais quelques-uns de ses vers étaient admirables, il le lui dirait ce soir, lorsqu'ils seraient seuls, et voici les fleurs blanches du plumbago capensis, disait Isaac à Caroline, c'est un arbre que j'ai fait venir d'Afrique du Sud, et la vigne de corail, chaîne de l'amour, comme on l'appelle aussi, transplantée du Mexique, et l'arbre fleur de la passion, nous aurons ici une pluie d'arbres, de fleurs, de tous les pays, l'hibiscus tiliaceus, l'hibiscus rose de Chine, lorsque toutes ces plantes gracieuses, lorsque toutes ces fleurs seront épa-nouies, lorsqu'elles auront eu le temps d'éclore, où serons-nous tous, pensait Caroline, déjà sous la terre? Cette pen-sée déplut tant à Caroline qu'elle ressortit son appareil de son sac, se mit à photographier les arbres, qu'Isaac lui montrait du doigt, que vous êtes agile, ma chère, dit Isaac en retenant Caroline par le coude, les voiturettes de golf délivrant leurs passagers devant le pavillon et de luxuriants jardins qui n'avaient pas encore été cultivés, ces ouvriers indolents d'Isaac, qui se prélassent au soleil, pensait Caroline, ces employés d'Isaac n'ont pas beaucoup de tenue, d'où sortent-ils donc, est-ce qu'il les fait venir du Mexique et du Brésil, eux aussi, ils sont si métissés, et lorsque bientôt vint le moment de la cérémonie à Jean-Mathieu, autour de Caroline, que tous furent assis, presque silencieux, sous la fraîcheur des palmiers, qu'Adrien eut gravi l'escalier vers l'estrade, Caroline sentit que s'abattait sur elle le chagrin, qui l'avait ainsi menée vers ce gouffre où elle ne reverrait plus Jean-Mathieu, pensa-t-elle, et que racontait Adrien sur l'estrade, Platon, Socrate, qu'est-ce que ces discussions de Socrate ont à voir avec Jean-Mathieu, il fallait se l'avouer à soi-même, pensait Caroline, Jean-Mathieu qui n'était plus de notre monde désormais, dont Adrien parlait révérencieusement au passé, il fut, il eut, il aimait, il sut, il comprit, il fut aimé, Jean-Mathieu enfui, disait Adrien, vers la patrie du non-être, lui qui dans ses livres aimait tant la mer, dont l'âme avait pris racine dans les eaux, à Halifax, et plus tard ensuite, disait Adrien, lorsqu'il voyagea de fleuve en fleuve, d'abord comme mousse, jusqu'à ce qu'il devînt cet illustre passager à bord de paquebots dont il écrivit l'histoire, je l'aimais, pensait Caroline en écoutant la voix forte d'Adrien, nous n'étions pas de la même classe sociale, bien que nous fussions différents, incompatibles, sans doute l'aimais-je parce qu'il était plus sensible que moi, aimait les autres, quand je les aime si peu, tout en écoutant le discours d'Adrien, Caroline avait l'impression de filmer son image, il était tour à tour solennel, pompeux et touchant, chacune de leurs paroles, à tous, lorsqu'ils se présentaient sur l'estrade, tous, amis, poètes, artistes, et même cette jeune fille, tout en cheveux crêpelés, exprimant sa gratitude à un grand poète, partisan du féminisme qui avait amélioré la situation de la femme écrivain dans la société, cette féminisation intellectuelle de Jean-Mathieu, n'était-ce pas à l'influence de Caroline qu'on la devait, n'avait-elle pas toujours œuvré pour l'équité des droits de la femme auprès des hommes qu'elle avait aimés, oui, leurs paroles, à tous, pensait Caroline, leur assurance, pendant qu'ils parlaient de Jean-Mathieu, lui étaient intolérables, suscitant en elle des éclairs de jalousie et de douleur, car pendant qu'ils discouraient tous, les uns et les autres, Caroline regardait le coffret sur le plancher de l'estrade, lequel avait été placé aux pieds d'Adrien, afin qu'il n'eût qu'à se pencher pour le prendre, car tel était le sinistre rituel qu'ils avaient tous inventé pour renforcer la peine de Caroline, ses yeux se posaient directement sur ce coffret, contenant ce qui était une parodie du corps de Jean-Mathieu, son inimaginable poussière, le dépôt de ses cendres aussi poudreux que le sable émanant il y a quelques instants des chaussures d'Isaac, quelque substance bleue ou grise qui n'était ni Jean-Mathieu ni personne, bientôt versée dans une île qui semblait être le lieu où résident tous les exilés, ce lieu symbolisant avec la fin de la vie de Jean-Mathieu leur abominable exclusion du paradis à tous, car tous, comme Caroline, n'étaient que de sensuels païens qui chérissaient trop la terre, Caroline se calma lorsque Isaac, dont les épaules étaient si voûtées, reprit avec respect le coffret des mains d'Adrien, il allait se diriger vers la mer où l'attendait Daniel dans une barque de pêcheur, dont il soulevait les rames, à marée basse, quand ses chaussures s'embourbèrent dans l'eau visqueuse des mangroves, les pieds trempés jusqu'aux chevilles, il tendit le coffret à un jeune homme blond qui courut de pierre en pierre, léger comme l'air de ce jour-là, pensait Caroline, vers la barque accostée dans le sable, qu'il dut, après y avoir déposé le coffret, pousser à plusieurs reprises, et puis ce fut fait, pensait Caroline, une vague remua l'embarcation, tous virent Daniel qui, de la barque chancelante, répandait debout le prodigieux trésor de ces cendres qui n'eût dû appartenir qu'à Caroline, et qu'on lui arrachait avec son âme, pensa-t-elle, elle sut qu'à cet instant tous éprouveraient le besoin de rire, de s'amuser, qu'on aurait soif de vin et de champagne, à cet instant aussi Caroline songerait à Charly que pendant quelques heures elle avait oubliée, j'espère que cette fois Charly ne me mentait pas lorsqu'elle m'a dit qu'elle serait sur la jetée ce soir, pensait Caroline, rien n'était moins naturel que la mort, dommage qu'elle eût trop de mal pour pleurer, et puis vraiment cette île d'Isaac était une splendeur avec, sur le rivage, ses hérons cendrés, ses pluviers dorés, la seule liberté en ce monde n'était-elle pas d'être l'héritier, comme Isaac, d'une immense fortune ? Tout le reste, pensait Caroline, n'était que misère à laquelle on ne faisait que se heurter, incluant la misère d'aimer et de vouloir être aimé en retour, qui était souvent la cause de notre désenchantement. Et dans quelques jours, je retournerai au Sri Lanka, avait écrit Asoka à Ari, j'irai à l'orphelinat de Sri Vajira où je verrai trois cents enfants, tous orphelins de guerre, comment ne pas s'effondrer lorsque ces enfants nous racontent dans leurs chants de quelle manière ils ont perdu leurs parents, dans quelles atrocités, j'irai aussi à l'orphelinat des filles de Ranmalana, j'espère, mon cher Ari, que tu continues de méditer tous les jours, tu m'avais demandé le sens du mot samsara, lequel est vaste, car selon le dictionnaire bouddhiste, samsara signifie la mer, l'océan de vie, dont les vagues vers le progrès, le perfectionnement de soi sont sans repos, tant de fois il nous faut naître, renaître, mourir, renaître encore et mourir pour atteindre le nirvana, renaître est notre perpétuel espoir, ainsi va et vient la vague de la mer, j'essaie de traduire pour toi ce qui ne peut être dit, ce que dans la vie spirituelle on ne peut que ressentir, mais voici, mon cher Ari, à peu près une signification du mot samsara, il faut être en paix avec soi-même et ne pas vouloir gravir tous les échelons trop vite, ce serait une imprudence, mon cher Ari, car avant tout tu es l'être que tu es, et tu dois rechercher l'allégresse, et Ari contournait la plage des Militaires, sa gigantesque sculpture en acier liée par des cordes à son camion, s'enracinant dans le sable, l'événement conçu par Ari comme une célébration de la nature, la sculpture aux vagues magnétiques, toujours vivantes, s'intégrerait, pensait Ari, à l'eau comme au ciel, destination des réfugiés, elle serait aussi le phare des navigateurs en péril, s'illuminant la nuit, Ari n'avait-il pas en chantier, avec ses amis sculpteurs et peintres, tout un jardin de sculptures monumentales, près de la mer, artiste, artisan, Ari n'était que cela, pensait-il, et l'art était un acte de protestation véhément, le sien, mais quelle en était l'ultime nécessité, utilité, lorsque Ari comparait sa vie à la vie d'Asoka, l'art, était-ce là aussi la voie de l'allégresse dont parlait Asoka, Asoka déjà reparti en pèlerin sur les routes vers les orphelinats de Sri Vajira, de Ranmalana, l'humilité d'Asoka, mendiant par les villages, dans son vêtement orange, comment Ari pouvait-il même envier cette humilité quand il était orgueilleux, il avait cet orgueil de tout artiste, dans l'isolement, la tension contrariée de tous les désirs, oui, la sculpture vibrerait avec l'air, l'eau, instrument d'appel comme le gong, elle ferait entendre à tous son harmonieuse musique, celle du vent, des vagues de la mer, au XIXe siècle, le peintre Winslow Homer avait peint l'homme héroïque aux prises avec la mer, aujourd'hui, de jeunes sculpteurs comme Ari devaient survivre avec elle, pour la purification de ses eaux sans cesse menacées, sa faune, la sculpture, la mer, le sculpteur, tous étaient vulnérables, qui ne connaissait pas aujourd'hui ce sort irréductible qu'affrontait l'être humain, et c'est Richard, Rick, qui l'avait vu le premier, l'avait extirpé en riant de la cale du bateau du vieux Williams, que fais-tu là, dans le Viking Convertible du capitaine, mon petit, à combien ont-ils mis ta tête à prix, je t'ai reconnu à ta tignasse, Carlos, et tel un trophée de chasse, Richard avait exhibé Carlos à Vénus, en disant, voilà le meurtrier que l'on recherche, crois-moi, je regrette beaucoup qu'il soit ton frère, car je vais le dénoncer, caché dans le Viking Convertible, et il meurt de soif, voici ton frère, Vénus, les cris de Vénus courant vers son frère agitaient l'air, bien que ce fût en vain, pensait Vénus, n'avait-elle pas toujours su que Rick était un traître et un ennemi de sa race, est-ce ma faute, dit Richard, narguant Vénus de son regard torve, lorsqu'elle apparut sur la berge, demandant à Richard qu'il lui rendît son frère effrayé, je l'ai découvert en lavant, comme chaque soir, le bateau du capitaine, il était là, ton vilain frère, un assassin peut-être, c'est ma capture, dit Richard, il est venu tardivement par les mangroves dans les barques des pêcheurs d'huîtres, hein, mon garçon, assoiffé, affamé, disait Richard, secouant Carlos par le col de son maillot, ne sais-tu pas que la police te recherche? Le soleil déclinait, trouant la brume de chaleur sur l'océan, les baigneurs, dériveurs sur leurs planches à voile aimaient cette heure où l'eau, l'air, les rafraîchissaient, nul n'avait entendu les cris de Vénus accourant vers son frère, sur la plage, Dieu nous protégera, pensait Vénus, Perdue Baltimore, Vénus aurait recours à Perdue Baltimore, ce soir, cette nuit, il y avait ce revolver sous l'oreiller, dans le lit du capitaine, le lit de Vénus où elle dormait seule, Rick était un traître et ne méritait pas qu'on lui laissât la vie, oui, ce revolver sous l'oreiller, pensait Vénus, eût-elle cédé à ses avances qu'elle eût été en position de pouvoir tuer ce traître, ce monstre qu'avait accueilli dans sa maison le capitaine, le regard de Vénus se brouillait d'impuissance, de tristesse, il s'égarait au loin vers la ligne rouge de l'horizon, Perdue Baltimore, pensait-elle, Perdue Baltimore les aiderait tous, car, comme le disait le pasteur Jérémy dans ses sermons, les humbles seront toujours aimés de Dieu, Dieu les protégerait. Le soleil va bientôt se coucher, disait Marie-Sylvie à Vincent, ils étaient tous les deux assis l'un contre l'autre sur l'un des bancs de bois de la jetée, et on ne voit pas encore le grand catamaran, tes parents seront en retard pour le dîner, tu entends, Vincent, l'eau qui bat sous les planches du quai, les pélicans, les mouettes, ils sont tous nerveux, excités, ne dis pas à tes parents que nous sommes venus les attendre ici, toi et moi, ils n'aiment pas que tu t'approches de l'eau quand se lèvent

244

les vents, ne leur parle pas non plus du bateau de Samuel, *Lumière du Sud,* ne leur parle pas de nous, c'est notre secret, et s'assoupissant sur les genoux de Marie-Sylvie de la Toussaint, Vincent entendait à l'orée de son sommeil le concert de Julia Benedicto, sur la mer, sur le voilier immobile, peu éloigné des rives, l'orchestre des jeunes musiciens de Julia Benedicto jouait une suite symphonique de Prokofiev, tu entends cette musique barbare, demandait Marie-Sylvie à Vincent, ils ont tout pour eux, dans cette ville, ces Cubains, quand nous, pendant ce temps, nous, de la cité infernale du soleil, nous, Marie-Sylvie s'arrêta, posant sa main sur le front chaud de Vincent, ils ont dû prendre une autre route, dit Marie-Sylvie, le grand catamaran est en retard, il nous faudra bientôt rentrer, tu sembles avoir un peu de fièvre, que dirait ta maman si elle le savait, Vincent, qui s'était endormi sur les genoux de Marie-Sylvie, ne répondit pas. C'était l'heure d'aller au lit, papa, maman n'étaient pas à la maison, où étaient-ils, demandait Deandra à Tiffany, personne n'avait dîné, toujours ce frère Carlos passant dans la vie des sœurs jumelles, telle une bourrasque, qu'avait-il encore fait, avait dit le pasteur Jérémy en conduisant ses filles à l'école, ce matin, dans leurs déguisements de la fête des Astres, Deandra serait la lune, Tiffany serait le soleil, n'avaient-elles pas honte de toujours se disputer, des jumelles, Mama avait cousu les costumes, coupant le fil avec ses dents, c'était avant qu'on vît la photographie de Carlos à la télévision, cessant de se disputer, elles avaient joué jusqu'à l'ennui dans la cour, posant leurs souliers blancs du dimanche sur les cannettes vides de la cour, il y avait longtemps que Carlos ne les ramassait plus dans un sac pour le recyclage, pesaient sur leurs têtes les rubans repassés de la fête, d'habitude, à cette heure, Deandra mangeait beaucoup et très vite avant d'aller jouer dans la rue, jusqu'à la tombée de la nuit, Mama finissait toujours par les appeler en grognant que ses enfants ne l'écoutaient pas, que personne, pas même le pasteur Jérémy, ne l'écoutait dans sa maison, ces jumelles, disait Mama, étaient comme la croix sur les épaules de Jésus, elles étaient fuyantes, désobéissantes, le pasteur Jérémy disait, lui, à bien y penser, Dieu nous a donné de beaux enfants, si seulement ce n'étaient pas des filles, qu'allons-nous en faire? Est-ce qu'on joue aux dés ou au billard, avait demandé Deandra à Tiffany, et c'est Tiffany qui avait vu Polly la première, non, c'est moi, avait dit Deandra, ou bien nous l'avons vue ensemble, non, c'est moi, dit Tiffany, je vois toujours tout la première, c'est moi qui remplis d'eau son bol tous les jours, dit Deandra, donc c'est moi qui l'ai vue, Polly était là, entre l'écuelle et la glacière, cette glacière qui n'avait toujours pas été enlevée de la cour, y logeaient désormais les coqs et les poules, Polly était de retour, fouillant l'écuelle vide, humant le bol d'eau que lui offrait Deandra, de son museau humide, elle respirait les odeurs brûlées de la cour, car elle avait faim, se souvenant de Carlos, du ton rageur de sa voix, de la caresse de ses mains ; Deandra, Tiffany, unies par une même clameur de joie, annonçaient aux passants de la rue, au-delà des barbelés fleuris de la cour, Polly est revenue, Polly est revenue ! Et l'Apôtre avait dit à la Vierge aux sacs, va, enfant, je prierai pour toi, là où je vais, tu ne peux venir, c'était au sein d'une chaude journée d'été mais la jeune fille pensait que la nuit tomberait vite sur New York, elle ferait mieux de descendre vers le dédale du métro, la mezzanine, un lieu sûr pour dormir, loin de la voie, des bordures des quais où se concentraient les grouillements des gangs des Seigneurs du Chaos, des Gargouilles vampiriques imprimant de la trace de leurs couteaux un V sur le front de leurs victimes, l'Apôtre eût-il été près de la Vierge aux sacs qu'elle eût dormi avec lui, dans un lit, qu'elle n'eût pas tremblé de peur, dans la mezzanine d'une sombre station de métro, l'Apôtre dans sa robe blanche que ne souillaient ni la neige ni la boue, parti si loin éclairer les mineurs de Shenandoah au moyen de sa lampe, quand elle était seule au monde, assise sur les marches, sa Bible ouverte à l'envers parmi les plis de sa jupe écossaise, des escaliers fixes, de la passerelle, elle entendait des pas, des voix, étaient-ce les pas, les voix des gangs des Seigneurs du Chaos, des Gargouilles vampi-riques, était-ce la fin d'une tuerie dans des abris pour ani-maux où ils avaient démembré quelques bêtes, n'était-ce pas au début de la nuit qu'ils s'apprêtaient à accomplir leurs rites, pour parler avec les esprits, disait le chef d'un de ces gangs, il convenait de boire du sang, de violer une vierge, tel était ce rite des vampires lâchés dans la nuit que redoutait tant la Vierge aux sacs, mais se recroquevillant contre le mur de la mezzanine, la Vierge aux sacs pensait aussi que nul ne pouvait la voir ici, moins encore déceler son odeur, l'odeur de son errance, heureux qui, comme la Vierge aux sacs, délaissé, ne sachant ni lire ni écrire, échappé d'une institution, d'un asile de tourments, heu-reux qui, comme elle, verrait Dieu, pourquoi l'Apôtre, qui était un homme véritable, ne l'avait-il pas gardée avec lui, elle eût été la goutte de pluie insérée dans ses habits, elle eût accepté de n'être rien, pourvu qu'il ne l'appelât pas pauvre d'esprit, qu'il vît combien elle était belle, propre, même si elle vivait dans la rue, les Seigneurs du Chaos, non, ils ne l'attaqueraient pas ce soir, depuis quelques jours ils n'agressaient plus les gens qui avaient la peau blanche. Une ouverture dans le dos de sa poupée permettait à Charly d'atteindre son ecstasy, d'autres portaient à leur cou les fins rouleaux, rouges, bleus, jaunes, tel un collier hawaïen, ou les aspiraient par la tétine de sucettes colorées, sur leurs lèvres, ruisselante de ses bains dans la mer et dans la piscine proche de la piste de danse qu'abritait la toile d'une tente bleue ondulant dans le vent, Charly dansait, libre, pensait-elle, de connaître jusqu'à l'aube ses transes familières, à plus tard, la chute, la mélancolie, la dépression du terrible mardi, le réveil de l'anxiété et la diminution des forces quand c'était pour tous la fin de la cabale, et que l'on se retrouvait, désorienté, seul, les cheveux plaqués par la sueur, la magie ayant fui, au-dessus de la mer houleuse, quand brillaient les étoiles au son de la musique électronique de l'Atome, de l'orchestre des Sœurs chimiques, dansait Charly, dans ses jeans blancs largement échancrés sur les côtés, Charly aimée de tous, dont on hélait le nom toutes les nuits, sur la piste de danse, sans doute agirait-elle cette nuit sans raison ni sens, mais tous seraient aussi exubérants, avant l'humeur noire du lendemain, ses maux de tête, parfois dans la transcendance, l'ensorcellement de la musique, ils ne formaient tous qu'un seul corps aux multiples ethnies, pensait Charly, c'était dans un frôlement affolé de tous les tissus de la peau que venait la transe, la transe médiumnique, on entendait la musique dont les saccades régulières sciaient les hémisphères du cerveau, on entendait aussi la course des vaisseaux sanguins des uns, des autres, oubliée l'histoire de Charly descendante d'esclaves qui avaient jadis vécu dans des chenils sur les plantations de leurs maîtres, auprès de Caroline, Charly serait riche, à elles deux, la saveur fruitée des cocktails des grands restaurants, que l'on boit le soir, le rhum blanc, aux terrasses, la bière blonde du Liban, au déjeuner du midi, pendant que Caroline se résignait, bien que cela lui parût insensé, à ce qu'un peu de haschisch lui fît du bien, vînt la rajeunir aux côtés de Charly, engourdie par les voluptés de sa vie, Caroline n'était plus la même, un jouet entre vos mains, pensait Charly, durable serait cette transe de huit heures, son long plaisir injecté avec la musique, la danse, Charly n'éprouverait aucune appréhension, cette fois, pendant la nuit, lorsque la peur du terrible mardi serait viscérale, des bras, des mains s'entremêleraient aux siens, un visage aussi ruisselant d'eau, de sueur âcre que le sien, toutes les peaux confondant leurs sécrétions, la nuit, une langue recueillant la pilule jaune sur sa langue, un nez déplaçant l'anneau à sa narine gauche, tous ces visages, ces corps stimuleraient le plaisir de Charly dans une souveraine extase, jusqu'à ce que soudain, prélude au terrible mardi, quelqu'un se mît à vomir, qu'un garçon arrachât sa chemise, mais cette nuit sous les étoiles, que Charly cabale toute la nuit, avec les vents, les drapeaux que l'on hissait pour la prudence en mer, le bateau de Caroline serait en retard, Charly avait le temps de danser quelques heures avant qu'on ne le vît tout allumé dans la nuit. Là-bas, tout près, l'Hudson se jetait dans l'Atlantique, la nuit enveloppant peu à peu la ville de New York, Renata marchait près de son mari, dans les rues, peut-être avait-il raison, pensait-elle, lorsqu'il évoquait pour elle l'objectivité du juge, demain reprendrait la séance sur la peine de mort, il était rassurant, pensait Renata, qu'ils fussent encore ces deux êtres aimants, tolérant tout l'un de l'autre, partageant la détente d'une fin de soirée, quand Renata était toujours terrassée par quelque amour étranger qu'ignorait son mari, il valait mieux qu'il n'en sût jamais rien, car telle était l'âme de la femme dont il ne pénétrait pas la complexité, étrange, pensait Renata, de s'aimer d'une passion saine et que cet amour soit en même temps toujours aussi irréconciliable, Franz était ici, dans une ville convenant parfaitement à son tempérament impétueux, à la ferveur de son tumulte, tout aussi bien qu'à ses qualités artistiques souvent sublimes, il y aurait un concert sous sa direction, dans les prochains jours, que d'éloges pour sa direction musicale, où disait-on, pendant un concert en Israël à Tel-Aviv, il avait mis côte à côte, pour une pièce de Schubert, deux pianistes dont les pays étaient en guerre, de la seule diplomatie de l'art naissait parfois quelque espoir de paix, avait-il dit aux journalistes, elle reconnaissait là sa déraison, cette espérance de changer le monde qui longtemps avait fait vivre Renata près de lui, comment concevoir qu'après toutes ces années de leur séparation ils fussent tous les deux différents, réservés, que Franz ne fût plus aussi fou, car dépouillé de sa folie, de sa sauvagerie par l'âge, elle ne l'eût plus aimé, lorsqu'ils se reverraient, dirait-il comme lorsqu'il était plus jeune, n'as-tu pas un peu vieilli, serait-il tendre, sensuel ou absent, c'était un homme contre qui son mari l'eût mise en garde, lui qui pressentait souvent pour elle les coups, les blessures, elle irait sans Claude au-devant du chasseur, mais la blessure, le coup, ne viendrait pas de Franz, contre cela aussi son mari l'avait mise en garde, mais de ce qu'elle verrait demain, dans quelques années,

Nathanaël, menottes aux poings allant vers la peine capitale, entre deux officiers de race blanche, Nathanaël qui
avait aujourd'hui onze ans, dont les yeux suppliaient, ne
me tuez pas, dont la chevelure serait enflammée pendant
une exécution, Nathanaël qui aurait pu être le fils de
Renata, de son amour irréconciliable de la vie, et bien que
la mer fût houleuse, doucement, en glissant sur l'eau, le
grand catamaran rentrait au port où dans la nuit scintillait
la ville insulaire, Suzanne s'anima joyeusement car il lui
semblait enfin être de retour parmi les vivants où l'âme de
Jean-Mathieu ne tarderait pas à revenir, c'était une dis-
grâce, pensa-t-elle, de l'avoir ainsi abandonnée aux
ténèbres de l'eau où, sans tous ses amis, Jean-Mathieu
serait si seul.

André Carpentier
Gésu Retard

Ying Chen
Immobile

Matt Cohen
Elizabeth et après

Gil Courtemanche
Un dimanche à la piscine à Kigali

Judith Cowan
Plus que la vie même

Esther Croft
Au commencement était le froid
La Mémoire à deux faces
Tu ne mourras pas

Francine D'Amour
Écrire comme un chat
Presque rien

Christiane Duchesne
L'Homme des silences

Louisette Dussault
Moman

Gloria Escomel
Les Eaux de la mémoire
Pièges

Christiane Frenette
La Nuit entière
La Terre ferme

Lise Gauvin
Fugitives

Louis Hamelin
Le Soleil des gouffres

Bruno Hébert
Alice court avec René
C'est pas moi, je le jure!

Louis Hémon
Maria Chapdelaine

David Homel
Orages électriques

Suzanne Jacob
Les Aventures de Pomme Douly
L'Obéissance
Parlez-moi d'amour

A. M. Klein
Le Second Rouleau

Marie Laberge
Adélaïde
Annabelle
La Cérémonie des anges
Gabrielle
Juillet
Le Poids des ombres
Quelques Adieux

Marie-Sissi Labrèche
Borderline

Robert Lalonde
Des nouvelles d'amis très chers
Le Fou du père
Le Monde sur le flanc de la truite
Monsieur Bovary
    ou mourir au théâtre
Le Vacarmeur
Où vont les sizerins flammés en été?

Monique LaRue
La Démarche du crabe

Hélène Le Beau
Adieu Agnès
La Chute du corps

Rachel Leclerc
Noces de sable
Ruelle Océan

Alistair MacLeod
La Perte et le Fracas

Francis Magnenot
Italienne

André Major
Histoires de déserteurs
La Vie provisoire

Alberto Manguel
La Porte d'ivoire

Gilles Marcotte
Une mission difficile
La Vie réelle
La Mort de Maurice Duplessis
  et autres nouvelles

Yann Martel
Paul en Finlande

Stéfani Meunier
Au bout du chemin

Anne Michaels
La Mémoire en fuite

Michel Michaud
Cœur de cannibale

Marco Micone
Le Figuier enchanté

Hélène Monette
Le Blanc des yeux
Plaisirs et Paysages kitsch
Un jardin dans la nuit
Unless

Yan Muckle
Le Bout de la terre

Pierre Nepveu
Des mondes peu habités
L'Hiver de Mira Christophe

Michael Ondaatje
Le Fantôme d'Anil

Nathalie Petrowski
Il restera toujours le Nebraska
Maman last call

Daniel Poliquin
L'Écureuil noir
L'Homme de paille

Monique Proulx
Les Aurores montréales
Homme invisible à la fenêtre

Rober Racine
Le Cœur de Mattingly

Bruno Ramirez et Paul Tana
La Sarrasine

Yvon Rivard
Le Milieu du jour
Les Silences du corbeau

Louis-Bernard Robitaille
Le Zoo de Berlin

Alain Roy
Le Grand Respir
Quoi mettre dans sa valise?

Hugo Roy
L'Envie

Jacques Savoie
Les Portes tournantes
Le Récif du Prince
Une histoire de cœur

Mauricio Segura
Côte-des-Nègres

Gaétan Soucy
L'Acquittement
La petite fille qui aimait trop
  les allumettes

Marie José Thériault
Les Demoiselles de Numidie
L'Envoleur de chevaux

Guillaume Vigneault
Carnets de naufrage

FRONTENAC

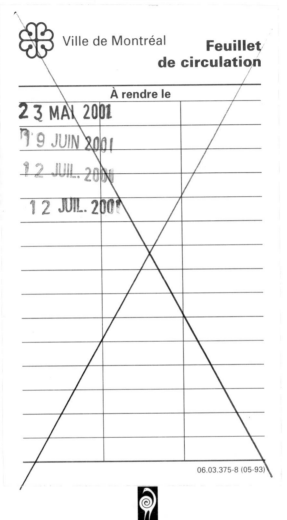

Ville de Montréal

Feuillet de circulation

À rendre le

2 3 MAI 2001

1 9 JUIN 2001

1 2 JUIL. 2001

1 2 JUIL. 2001

06.03.375-8 (05-93)

MISE EN PAGES ET TYPOGRAPHIE :
LES ÉDITIONS DU BORÉAL

ACHEVÉ D'IMPRIMER EN AVRIL 2001
SUR LES PRESSES DE L'IMPRIMERIE AGMV MARQUIS
À CAP-SAINT-IGNACE (QUÉBEC).

Ville de Montréal

C
BLA

**Feuillet
de circulation**

À rendre le

24 JUIL ✿ '02	
16 AOU ✿ '02	
Z 0 9 OCT '02	
Z 2 9 OCT '02	
Z 2 9 OCT '02	
17 JAN ✿ '03	
Z 1 3 MAR '03	
2 4 JAN ✿ '04	

06.03.375-8 (05-93) ✿